一・生・必・讀・的

中外經典名著

劉上洋 — 主編

陳東有 — 副主編

葉青等 — 選編

藝術卷

前言
FOREWORD

●●●

　　學習是文明傳承之途、人生成長之梯、政黨鞏固之基、國家興盛之要。我們黨歷來重視和善於學習。建設馬克思主義學習型政黨，是黨的十七屆四中全會提出的一項重大戰略任務，是黨中央從當前世情、國情、黨情出發，進一步動員全黨加強學習、開拓奮進的重大舉措。胡錦濤總書記在「七一」講話中，對建設學習型政黨又提出了新的希望和要求，強調「全體黨員、幹部都要把學習作為一種精神追求」，「真正做到學以立德、學以增智、學以創業」。一個黨員只有不斷地通過讀書豐富和完善自己的理論知識，汲取人類源源不盡的智慧精華，才能提升自身的素質與修養，才能不斷適應新形勢、新要求，才能在新的歷史起點上開闢事業發展的新境界。

　　知識永無止境，書籍浩如煙海。要在有限的時間裏通過讀書學習獲取最大的收穫，就要在讀書學習時做到有所選擇、有所取捨。只有選取那些劃時代的經典著作，特別是那些能夠啟動感性、啟發知性、錘鍊理性的經典名篇進行重點閱讀，才能收到事半功倍的效果。大浪淘沙，真金自見。經過歷史檢驗而巍然存世的經典名篇是古今中外的文化精華，是人類智慧的結晶。這些傳世之作歷久彌新，蘊涵著大量的治政理念、法治精神、哲學思考、經濟思想、文學精髓、歷史規律、科技知識和藝術感悟等，是我們取之不盡、用之不竭的文化源泉。閱讀這些經典名篇，既能使我們博採眾長，不斷增加知識儲備，

又能使我們產生思想上的共振共鳴，得到精神上的愉悅享受。

　　為此，省委宣傳部組織編輯出版了這套黨員幹部閱讀系列叢書。該套叢書共分為政治卷、哲學卷、經濟卷、歷史卷、法律卷、文學卷、科技卷、藝術卷 8 卷，從古今中外浩繁的書籍中遴選了部分具有啟迪、普及意義的經典名篇，以滿足全省廣大黨員幹部對高品位、高品質、多學科經典著作的閱讀需要。同時，也藉此在全社會大興讀書學習之風，推動各級黨組織形成愛讀書、樂讀書、讀好書、善讀書的良好風氣，促進全省學習型黨組織建設活動廣泛深入地開展，使廣大黨員幹部更好地適應時代和社會發展的需要，為實現江西科學發展、進位趕超、綠色崛起貢獻智慧和力量。

2011 年 10 月 13 日

*編按：本文原刊《讀精品・品經典・藝術卷》之〈前言〉。

目錄
CONTENTS

● ● ●

一 ••• 藝術通論

馬克思
藝術是社會的上層建築

　　人們在自己生活的社會生產中發生一定的、必然的、不以他們的意志為轉移的關係，即同他們的物質生產力的一定發展階段相適合的生產關係。這些生產關係的總和構成社會的經濟結構，即有法律的和政治的上層建築豎立其上並有一定的社會意識形式與之相適應的現實基礎。物質生活的生產方式制約著整個社會生活、政治生活和精神生活的過程，不是人們的意識決定人們的存在，相反，是人們的社會存在決定人們的意識。社會的物質生產力發展到一定階段，便同它們一直在其中活動的現存生產關係或財產關係（這只是生產關係的法律用語）發生矛盾。於是這些關係便由生產力的發展形式變成生產力的桎梏。那時社會革命的時代就到來了。隨著經濟基礎的變更，全部龐大的上層建築也或慢或快地發生變革。在考察這些變革時，必須時刻把下面兩者區別開來：一種是生產的經濟條件方面所發生的物質的、可

以用自然科學的精確性指明的變革，一種是人們藉以意識到這個衝突並力求把它克服的那些法律的、政治的、宗教的、藝術的或哲學的，簡言之，意識形態的形式。我們判斷一個人不能以他對自己的看法為根據，同樣，我們判斷這樣一個變革時代也不能以它的意識為根據；相反，這個意識必須從物質生活的矛盾中，從社會生產力和生產關係之間的現存衝突中去解釋。

（選自馬克思《政治經濟學批判》序言，《馬克思恩格斯選集》第 2 卷，中共中央馬克思、恩格斯、列寧、斯大林著作編譯局編譯，人民出版社 1972 年版）

編選說明 ● ● ●

　　卡爾·馬克思（Karl Marx，1818-1883），德國革命家、社會學家和經濟學家，馬克思主義的創始人。《〈政治經濟學批判〉序言》寫於 1859 年 1 月，是馬克思為他在 1858 年 8 月—1859 年 1 月寫成的《政治經濟學批判》第一分冊所寫的序言。在這篇《序言》裏，馬克思主要講了兩個問題：一是敘述他研究政治經濟學的原因和經過；二是總結他在 1859 年以前的科學研究成果，特別是對他所發現和創立的、并作為他研究政治經濟學的指導思想的歷史唯物主義的基本原理，第一次作了經典性的表述。在這裏，馬克思明確指出藝術是一種社會「意識形態的形式」，並特別強調在考察經濟基礎和上層建築的變革時，必須時刻注意將兩者「區別開來」，不能忽視藝術等意識形

態形式的上層建築性質。「不是人們的意識決定人們的存在，相反，是人們的社會存在決定人們的意識」，這是馬克思對歷史唯物主義基本原理所作的最概括、最精闢的闡述，對理解和把握藝術作為一種特殊的社會意識形態的本質有著重要的理論指導意義和方法論的啟示。因此，《序言》是一篇具有重大理論意義和獨立科學意義的經典著作，在馬克思主義發展史上佔有重要地位。

恩格斯

●●●

藝術起源於勞動

　　如果說我們的遍體長毛的祖先的直立行走一定是先成為習慣，並且隨著時間的推移才成為必然，那麼這就必須有這樣的前提：手在此期間已經越來越多地從事其它活動了。在猿類中，手和腳的使用也已經有某種分工了。正如我們已經說過的，在攀緣時手和腳的使用方式是不同的。手主要是用來摘取和抓住食物，就像低級哺乳動物用前爪所做的那樣。有些猿類用手在樹上築巢，或者如黑猩猩甚至在樹枝間搭棚以避風雨。它們用手拿著木棒抵禦敵人，或者以果實和石塊擲向敵人。它們在被圈養的情況下用手做出一些簡單的模仿人的動作。但是，正是在這裏我們看到，甚至和人最相似的猿類的不發達的手，同經過幾十萬年的勞動而高度完善化的人手相比，竟存在著多麼大的差距。骨節和筋肉的數目和一般排列，兩者是相同的，然而即使最低級的野蠻人的手，也能做任何猿手都模仿不了的數百種動作。任何一隻猿手都不曾製造哪怕是一把最粗笨的石刀。

　　因此，我們的祖先在從猿過渡到人的好幾十萬年的過程中逐漸學會的使自己的手能做出的一些動作，在開始時只能是非常簡單的。最低級的野蠻人，甚至那種可以認為已向更近乎獸類的狀態倒退而同時軀體也退化了的野蠻人，也遠遠高於這種過渡性的生物。在人用手把第一塊石頭做成石刀以前，可能已經過了一段漫長的時間，和這段時

間相比，我們所知道的歷史時間就顯得微不足道了。但是具有決定意義的一步邁出了：手變得自由了，並能不斷掌握新的技能，而由此獲得的更大的靈活性便遺傳下來，並且一代一代地增加著。

　　所以，手不僅是勞動的器官，它還是勞動的產生。只是由於勞動，由於總是要去適應新的動作，由於這樣所引起的肌肉、韌帶以及經過更長的時間引起的骨骼的特殊發育遺傳下來，而且由於這些遺傳下來的靈巧性不斷以新的方式應用於新的越來越複雜的動作，人的手才達到這樣高度的完善，以致像施魔法一樣產生了拉斐爾的繪畫、托瓦森的雕刻和帕格尼尼的音樂。

　　……

　　由於手、說話器官和腦不僅在每個人身上，而且在社會中發生共同作用，人才有能力完成越來越複雜的動作，提出並達到越來越高的目的。勞動本身經過一代又一代變得更加不同、更加完善和更加多方面了。除打獵和畜牧外，又有了農業，農業之後又有了紡紗、織布、冶金、製陶和航海。伴隨著商業和手工業，最後出現了藝術和科學；從部落髮展成了民族和國家。法和政治發展起來了，而且和它們一起，人間事物在人的頭腦中的虛幻的反映──宗教，也發展起來了。在所有這些起初表現為頭腦的產物並且似乎支配著人類社會的創造物面前，勞動的手的較為簡陋的產品退到了次要地位；何況能作出勞動計劃的頭腦在社會發展的很早的階段上（例如，在簡單的家庭中），就已經能不通過自己的手而是通過別人的手來完成計劃好的勞動了。迅速前進的文明完全被歸功於頭腦，歸功於腦的發展和活動；人們已經習慣於用他們的思維而不是用他們的需要來解釋他們的行為（當

然，這些需要是反映在頭腦中，是進入意識的）。這樣，隨著時間的推移，便產生了唯心主義世界觀，這種世界觀，特別是從古典古代世界沒落時起，就支配著人的頭腦。它現在還非常有力地支配著人的頭腦，甚至達爾文學派的唯物主義自然科學家們對於人類的產生也不能提出明確的看法，因為他們在那種意識形態的影響下，認識不到勞動在這中間所起的作用。

（選自恩格斯《自然辯證法·勞動在從猿到人轉變過程中的作用》，

《馬克思恩格斯選集》第 9 卷，人民出版社 2009 年版）

編選說明 ● ● ●

弗里德里希·恩格斯（Friedrich Engels，1820-1895），德國社會主義哲學家，與卡爾·馬克思同為近代共產主義的奠基人。這是恩格斯的一篇重要論文，寫於 1876 年，1896 年第一次發表於德國《新時代》雜誌。在文章中，恩格斯將藝術起源放到人類文明的歷史發展過程中來考察，不僅科學地解釋了原始藝術的本源，而且更重要的是歷史地回答了這些本源何以產生藝術的「自身運動」。馬克思、恩格斯在他們的許多著述中都曾論述藝術和勞動的關係，為藝術起源的勞動說奠定了理論基礎。在 19 世紀，藝術起源於勞動的說法，受馬克思、恩格斯的影響而高度發展起來。

毛澤東

文學藝術的源泉究竟是從何而來

　　一切種類的文學藝術的源泉究竟是從何而來的呢？作為觀念形態的文藝作品，都是一定的社會生活在人類頭腦中的反映的產物。革命的文藝，則是人民生活在革命作家頭腦中的反映的產物。人民生活中本來存在著文學藝術原料的礦藏，這是自然形態的東西，是粗糙的東西，但也是最生動、最豐富、最基本的東西；在這點上說，它們使一切文學藝術相形見絀，它們是一切文學藝術的取之不盡、用之不竭的唯一的源泉。這是唯一的源泉，因為只能有這樣的源泉，此外不能有第二個源泉。有人說，書本上的文藝作品，古代的和外國的文藝作品，不也是源泉嗎？實際上，過去的文藝作品不是源而是流，是古人和外國人根據他們彼時彼地所得到的人民生活中的文學藝術原料創造出來的東西。我們必須繼承一切優秀的文學藝術遺產，批判地吸收其中一切有益的東西，作為我們從此時此地的人民生活中的文學藝術原料創造作品時候的借鑒。有這個借鑒和沒有這個借鑒是不同的，這裏有文野之分，粗細之分，高低之分，快慢之分。所以我們決不可拒絕繼承和借鑒古人和外國人，哪怕是封建階級和資產階級的東西。但是繼承和借鑒決不可以變成替代自己的創造，這是決不能替代的。文學藝術中對於古人和外國人的毫無批判的硬搬和模仿，乃是最沒有出息的最害人的文學教條主義和藝術教條主義。中國的革命的文學家藝術

家，有出息的文學家藝術家，必須到群眾中去，必須長期地無條件地全心全意地到工農兵群眾中去，到火熱的鬥爭中去，到唯一的最廣大最豐富的源泉中去，觀察、體驗、研究、分析一切人，一切階級，一切群眾，一切生動的生活形式和鬥爭形式，一切文學和藝術的原始材料，然後才有可能進入創作過程。否則你的勞動就沒有對象，你就只能做魯迅在他的遺囑裏所諄諄囑咐他的兒子萬不可做的那種空頭文學家，或空頭藝術家。

　　人類的社會生活雖是文學藝術的唯一源泉，雖是較之後者有不可比擬的生動豐富的內容，但是人民還是不滿足於前者而要求後者。這是為什麼呢？因為雖然兩者都是美，但是文藝作品中反映出來的生活卻可以而且應該比普通的實際生活更高，更強烈，更有集中性，更典型，更理想，因此就更帶普遍性。革命的文藝，應當根據實際生活創造出各種各樣的人物來，幫助群眾推動歷史的前進。例如一方面是人們受餓、受凍、受壓迫，一方面是人剝削人、人壓迫人，這個事實到處存在著，人們也看得很平淡；文藝就把這種日常的現象集中起來，把其中的矛盾和鬥爭典型化，造成文學作品或藝術作品，就能使人民群眾驚醒起來，感奮起來，推動人民群眾走向團結和鬥爭，實行改造自己的環境。如果沒有這樣的文藝，那麼這個任務就不能完成，或者不能有力地迅速地完成。

（選自毛澤東《在延安文藝座談會上的講話》，載《毛澤東論文藝》，

人民文學出版社 1983 年版）

編選說明 ● ● ●

　　1942 年 5 月 23 日，毛澤東同志發表《在延安文藝座談會上的講話》，把馬克思主義基本原理同中國革命具體實際相結合，運用辯證唯物主義和歷史唯物主義的世界觀和方法論，闡明了黨對文藝工作的基本方針，論述了文藝與人民、文藝與政治、文藝與生活、文藝與時代、內容與形式、繼承與創新、普及與提高、世界觀與文藝創作等一系列重要問題。本段節選文字生動而肯定地回答了「文學藝術的源泉究竟是從何而來」這一重要命題。作者指出，人民生活中存在著文藝原料的礦藏，它們是一切文藝取之不盡、用之不竭的唯一源泉。而書本上的文藝作品不是源而是流。作者號召：「中國的革命的文藝家，有出息的文學藝術家，必須到群眾中去！」在《講話》精神指引下，廣大文藝工作者，以嶄新的精神面貌深入革命、生產、生活第一線，為中國現代文藝創造了許多不朽的華章。

康德

●●● ●

美的藝術是天才的藝術

　　天才就是那天賦的才能，它給藝術制定法規。既然天賦的才能作為藝術家天生的創造機能，它本身是屬於自然的，那麼，人們就可以這樣說：天才是天生的心靈稟賦，通過它自然給藝術制定法規。

　　不管這個定義是怎樣一回事，它或許只是肆意而談的，或許符合著人們在天才這名詞下所把握的概念，或許不是（這將在次節裏說明），人們仍然能夠預先證明，按照著這裏所假定的字義，美的藝術必然地要作為天才的藝術來考察。

　　每一藝術是以諸法規為前提，即在它們的基礎上一個能被稱為藝術的作品才能設想為可能的。但美的藝術這一概念卻又不允許對於它的作品所下的美的判斷是從任何一個法規引申出來的。法規是以一概念做它的規定基礎的。因此，對於作品下美的判斷，是不以一概念做基礎的，這概念是說出：它是怎樣可能的。所以美的藝術不能為自己想出法規來，他卻只能按照著這法規來完成製作。但是沒有先行的法規，一個作品是永不能喚做藝術的，因此必須是大自然在創作者的主體裏面（並且通過它的諸機能的協調）給予藝術以法規，這就是說，美的藝術只有作為天才的作品才有可能。

　　人們從這裏看出來，天才（一）是一種天賦的才能，對於它產生出的東西不提供任何特定的法規，它不是一種能夠按照任何法規來學

習的才能；因而獨創性必須是它的第一特性；（二）也可能有獨創性的，但卻無意義的東西，所以天才的諸作品必須同時是典範，這就是說必須是能成為範例的。它自身不是由摹仿產生，而它對於別人卻須能成為範例的。它自身不是由摹仿產生，而它對於別人卻須能成為評判或法則的準繩；（三）它是怎樣創造出它的作品來的，它自身卻不能描述出來或科學地加以說明，而是它（天才）作為自然賦予它以法規，因此，它是一個作品的創作者，這作品有賴於作者的天才，作者自己並不知曉諸觀念是怎樣在他內心裏成立的，也不受他自己的控制，以便可以由他隨意或按照規劃想出來，並且在規範形式裏傳達給別人，使他們能夠創造出同樣的作品來（因此「天才 genie」這字可以推測是從 genius（拉丁文）引申而來的，這就是一特異的，在一個人的誕生時賦予他的守護和指導的神靈，他的那些獨創性的觀念是從這裏來的）；（四）大自然通過天才替藝術而不替科學定立法規，並且只是在藝術應成為美的藝術範圍內。

（選自〔德〕康德，宗白華譯《判斷力批判》上卷，商務印書館 1985
年版）

編選說明 ● ● ●

伊曼努爾・康德（Immanuel Kant，1724-1804），德國古典哲學和美學的奠基人。他認為美是主觀的，把藝術看做是一種天才的表現。在西方藝術理論發展史上，自古希臘柏拉圖開始，許多理論家都

把天才和「神啟」聯繫在一起，使天才籠罩著神秘色彩。康德的天才論雖然沒有完全擺脫神秘色彩，但他把天才歸於自然，認為「天才就是那種天賦的才能，它給藝術制定法規」。他的藝術理論，不是來自他的藝術經驗，而是他的哲學和美學理論的延伸，並且它的理論深度也是不少藝術理論所不及的。康德的美學思想在歐洲美學發展史上佔有承先啟後的重要地位，它一方面批判地總結了理性派和經驗派的觀點，另一方面又為後來各種形式主義和純藝術開創了先例。

黑格爾

●　●　●

藝術美，或理想

　　藝術的特性就在於把客觀存在（事物）所顯現的作為真實的東西來瞭解和表現，這就是說，就事物對於符合本身和符合自在自為的內容所現出的適合性來瞭解和表現。所以藝術的真實不應該只是所謂「摹仿自然」所不敢越過的那種空洞的正確性，而是外在因素必須與一種內在因素協調一致，而這內在因素也和它本身協調一致，因而可以把自己如實地顯現於外在事物。

　　……

　　藝術理想的本質就在於這樣使外在的事物還原到具有心靈性的事物，因而使外在的現象符合心靈，成為心靈的表現……

　　因此，最適合理想藝術的是第三種情況，這就是介乎牧歌式的黃金時代與完全發達的面面互相關聯的近代市民社會之間的一種情況。這就是我們前已談到的英雄時代的那種特別符合理想的世界情況。英雄時代已不復像牧歌情況中那樣只有很貧乏的心靈方面的旨趣，而是受到更深刻的情慾和旨趣的鼓舞；另一方面個人的最近的環境，他的直接需要的滿足，卻仍是他自己工作的成績。這時代的營養資料如蜂蜜、羊奶和酒之類仍然是簡單的，因而也是更符合理想的，不像咖啡、白蘭地之類馬上就使我們聯想到製造它們所必須經過的無數手續。英雄們都親手宰牲畜，親手去燒烤，親自訓練自己所騎的馬，他

們所用的器具也或多或少是親手製造出來的；犁，防禦武器，盔甲，盾，刀，矛都是他們自己的作品，或是他們都熟悉這些器具的製造方法。在這種情況之下，人見到他所利用的擺在自己周圍的一切東西，就感覺到它們都是由他自己創造的，因而感覺到所要應付的這些外在事物就是他自己的事物，而不是在他主宰範圍之外的異化了的事物。在材料上加工和製作的活動當然顯得不是一種勞苦，而是一種輕鬆愉快的工作，沒有什麼障礙也沒有什麼挫折橫在這種工作的路上。

　　舉例來說，我們在荷馬史詩裏就遇見這種情況。例如阿伽門農的王杖就是他的祖先親手雕成的傳家寶杖；俄底修斯親自造成他結婚用的大床；阿喀琉斯的著名的武器雖然不是他自己的作品，但也還是經過許多錯綜複雜的活動，因為那是火神赫斐斯托斯受特提斯的委託造成的。總之，到處都可見出新發明所產生的最初歡樂，佔領事物的新鮮感覺和欣賞事物的勝利感覺，一切都是家常的，在一切上面人都可以看出他的能力，他的雙手的伶巧，他的心靈的智慧或英勇的結果。只有這樣，滿足人生需要的種種手段才不降為僅是一種外在的事物；我們還看到它們的活的創造過程以及人擺在它們上面的活的價值意識，它們對於人還不是死的東西或是經過習慣變成死的東西，而是人自己的最親切的創造品。這樣的生活還完全是牧歌式的，但是所謂牧歌式並非取它的狹義，並非說，大地河海樹木牲畜之類供給人的營養，而人只局限於這種環境，滿足於這種供給；而是說，在這種原始生活裏人已開始有比較高深的旨趣，對於這些旨趣來說，整個外在界只作為一種附庸，作為較高旨趣的土壤和手段而存在──但是這種土壤和環境卻貫串著一種和諧與獨立自足性，只有在人類所創造和利用

的一切事物都同時是準備為製造它們的那人自己所欣賞時，這種和諧
與獨立自足性才能出現。

（選自〔德〕黑格爾，朱光潛譯《美學》第 1 卷，商務印書館 1979
年版）

編選說明 ● ● ●

　　格奧爾格·威廉·弗里德里希·黑格爾（Georg Wilhelm Friedrich
Hegel，1770-1831），人類歷史上最偉大的理論家之一，德國古典哲
學、美學與文藝學的集大成者。他的美學思想是馬克思主義之前美學
研究的最高成就，在西方美學史中佔有極其重要的地位。在《美學》
第一卷裏，黑格爾探討了藝術美的理念。「理念」是黑格爾的哲學體
系也是其文藝觀的核心範疇，黑格爾自己對這一術語的解釋是：「理
念就是真理；因為真理即是客觀性與概念相符合。」（《小邏輯》）黑
格爾認為藝術理念與哲學認識論意義的理念並不完全相同，藝術理念
有明確的定性，他將藝術理念稱之為「藝術理想」，認為正是這種符
合理念本質又呈現為個別性的具體形象，構成了藝術美。黑格爾的美
學是建立在理念與感性形象的矛盾統一上面的，處處閃耀著辯證法的
光輝，具有巨大的邏輯力量。

車爾尼雪夫斯基
藝術與現實的審美關係

一、美是生活

美的事物在人心中所喚起的感覺，是類似我們當著親愛的人面前時洋溢於我們心中的那種愉悅。我們無私的愛美，我們欣賞它，喜歡它，如同喜歡我們親愛的人一樣。由此可知，美包含著一種可愛的、為我們的心所寶貴的東西。但是這個「東西」一定是一個無所不包，能夠採取最多種多樣的形式，最富於一般性的東西；因為只有最多種多樣的對象，彼此毫不相似的事物，我們才會覺得是美的。

在人覺得可愛的一切東西中最有一般性的，他覺得世界上最可愛的，就是生活；首先是他所願意過，他所喜歡的那種生活；其次是任何一種生活；因為活著到底比不活好：但凡活的東西在本性上就恐懼死亡，懼怕不活，而愛活。所以，這樣一個定義：

「美是生活」；

「任何事物，凡是我們在那裏面看得見依照我們的理解應當如此的生活，那就是美的；任何東西，凡是顯示出生活或使我們想起生活的，那就是美的。」

二、藝術中的美與現實中的美的比較

藝術家（特別是詩人）有意圖的努力也不一定能使我們有權利說，對美的關心就是他的藝術作品的真正來源；不錯，詩人總是力求

「儘量寫得好」，但這還不能說，他的意志和思想純粹地甚至主要地被關於作品的藝術性或美學價值的考慮所支配了：正如在自然中有許多傾向不斷地互相鬥爭，在鬥爭中破壞或損害著美，藝術家和詩人內心也有許多傾向影響他對美的努力，損害他的作品的美。在這許多傾向中，首先就是藝術家各種日常的掛慮和需要，它們不允許他只作一個藝術家，而不管其它；其次，是他的理智和道德觀點，它們不允許他在工作時只想到美；第三，藝術家發生藝術創作的念頭，通常並不單只是他想創造美這一意圖的結果：一個配得上「詩人」稱號的人，總是希望自己的作品裏不僅表達他所創造的美，還要表達他的思想、見解、情感……

三、藝術的第一目的是再現現實

藝術的第一作用，一切藝術作品毫無例外的一個作用，就是再現自然和生活。藝術作品對現實中相應的方面和現象的關係，正如印畫對它所由複製的原畫的關係，畫像對它所描繪的人的關係。印畫是由原畫複製出來的，並不是因為原畫不好，而是正因為原畫很好；同樣，藝術再現現實，並不是為了消除它的瑕疵，並不是因為現實本身不夠美，而是正因為它是美的。印畫不能比原畫好，它在藝術方面要比原畫低劣得多；同樣，藝術作品任何時候都不及現實的美或偉大；但是，原畫只有一幅，只有能夠去參觀那陳列這幅原畫的繪畫館的人，才有機會欣賞它；印畫卻成百成千地傳播於全世界，每個人都可以隨意欣賞它，不必離開他的房間，不必從他的沙發上站起來，也不必脫下身上的長袍；同樣，現實中美的事物並不是人人都能隨時欣賞的，經過藝術的再現（固然拙劣、粗糙、蒼白，但畢竟是再現出來

了），卻使人人都能隨時欣賞了。我們為我們所珍愛的人畫像，並不是為了要除去他的面貌上的瑕疵（這些瑕疵幹我們什麼事呢？我們並不注意它們，或者我們簡直還珍愛它們），而是使我們有可能欣賞這付面孔，甚至當本人不在我們眼前的時候，藝術作品的目的和作用也是這樣，它不修正現實，並不粉飾現實，而是再現它，充作它的代替物。

（選自〔俄〕車爾尼雪夫斯基，周揚譯《藝術與現實的審美關係》，

人民文學出版社 1979 年版）

編選說明 ● ● ●

尼古拉‧加夫裏諾維奇‧車爾尼雪夫斯基（Nikolay Gavrilovich Chernyshevsky，1828-1889），俄國革命家、哲學家、作家和批評家，人本主義的代表人物。車爾尼雪夫斯基的美學和藝術批評代表了馬克思主義誕生之前唯物主義美學與藝術批評的最高成就，普列漢諾夫稱他為「俄國文學中的普羅米修士」。1856 年發表的美學名著《藝術與現實的審美關係》，是一部深刻闡釋現實主義美學的光輝文獻。它圍繞探討藝術的本質也就是藝術和生活的關係問題，廣泛地討論了諸如想像、類型、崇高和悲劇等一系列美學基本問題。作者站在比較徹底的唯物主義立場上，針對當時流行的唯心主義理念論，將文學的立足點牢牢定位社會現實人生的土壤上，顯示出強大的批判鋒芒和革命精神。

丹納

藝術品的本質

　　由此我們可以定下一條規則：要瞭解一件藝術品，一個藝術家，一群藝術家，必須正確地設想他們所屬的時代的精神和風俗概況。這是藝術品最後的解釋，也是決定一切的基本原因。這一點已經由經驗證實；只要翻一下藝術史上各個重要的時代，就可看到某種藝術是和某些時代精神和風俗情況同時出現，同時消滅的。例如希臘悲劇：埃斯庫羅斯，索福克勒斯，歐裏庇得斯的作品誕生的時代，正是希臘人戰勝波斯人的時代，小小的共和城邦從事於壯烈鬥爭的時代，以極大的努力爭得獨立，在文明世界中取得領袖地位的時代。等到民氣的消沉與馬其頓的入侵使希臘受到異族統治，民族的獨立與元氣一齊喪失的時候，悲劇也就跟著消滅。同樣，哥特式建築在封建制度正式建立的時期發展起來，正當 11 世紀的黎明時期，社會擺脫了諾曼人與盜匪的騷擾，開始穩定的時候。到 15 世紀末葉，近代君主政體誕生。促使獨立的小諸侯割據的削度，以及與之有關的全部風俗趨於瓦解的時候，哥特式建築也跟著消滅。同樣，荷蘭繪畫的勃興，正是荷蘭憑著頑強與勇敢推翻西班牙的統治，與英國勢均力敵地作戰，在歐洲成為最富庶，最自由，最繁榮，最發達的國家的時候。18 世紀初期荷蘭繪畫衰落的時候，正是荷蘭的國勢趨於頹唐，讓英國佔了第一位，國家縮成一個組織嚴密，管理完善的商號與銀行，人民過著安分守己

的小康生活，不再有什麼壯志雄心，也不再有激動的情緒的時代。同樣，法國悲劇的出現，恰好是正規的君主政體在路易十四治下確定了規矩禮法，提倡宮廷生活，講究優美的儀表和文雅的起居習慣的時候。而法國悲劇的消滅，又正好是貴族社會和宮廷風氣被大革命一掃而空的時候。

　　……藝術家改變各個部分的關係，一定是向同一方向改變，而且是有意改變的，目的在於使對象的某一個「主要特徵」，也就是藝術家對那個對象所抱的主要觀念，顯得特別清楚。諸位先生，我們要記住「主要特徵」這個名詞。這特徵便是哲學家說的事物的「本質」，所以他們說藝術的目的是表現事物的本質。「本質」是專門名詞，可以不用，我們只說藝術的目的是表現事物的主要特徵，表現事物的某個凸出而顯著的屬性，某個重要觀點，某種主要狀態。

　　這兒我們接觸到藝術的真正的定義了，這個定義應當理解得很清楚；我們要強調並且明確地指出，什麼叫做主要特徵。我可以馬上回答說：主要特徵是一種屬性；所有別的屬性，或至少是許多別的屬性，都是根據一定的關係從主要特徵引申出來的……

　　的確，有一種「精神的」氣候，就是風俗習慣與時代精神，和自然界的氣候起著同樣的作用。嚴格說來，精神氣候並不產生藝術家；我們先有天才和高手，像先有植物的種子一樣。在同一國家的兩個不同的時代，有才能的人和平庸的人數目很可能相同。我們從統計上看到，兵役檢查的結果，身量合格的壯丁與身材矮小而不合格的壯丁，在前後兩代中數目相仿。人的體格是如此，大概聰明才智也是如此。造化是人的播種者，他始終是同一隻手，在同一口袋裏掏出差不多同

等數量，同樣質地，同樣比例的種子，散在地上。但他在時間空間邁著大步散在周圍的一把一把的種子，並不顆顆發芽。必須有某種精神氣候，某種才幹才能發展；否則就流產。因此，氣候改變，才幹的種類也隨之而變；倘若氣候變成相反，才幹的種類也變成相反。精神氣候彷彿在各種才幹中作著「選擇」，只允許某幾類才幹發展而多多少少排斥別的。由於這個作用，你們才看到某些時代某些國家的藝術宗派，忽而發展理想的精神，忽而發展寫實的精神，有時以素描為主，有時以色彩為主。時代的趨向始終占著統治地位。企圖向別方面發展的才幹會發覺此路不通；群眾思想和社會風氣的壓力，給藝術家定下一條發展的路，不是壓制藝術家，就是逼他改弦易轍。

（選自〔法〕丹納，傅雷譯《藝術哲學》，人民文學出版社 1983 年版）

編選說明 ●●●

　　丹納（一譯泰納，Hippolyte Adolphe Taine，1828-1893），19 世紀法國著名史學家、文論家和藝術史家，實證主義批評大師和社會學派的開創者。丹納的批評理論建立在實證主義哲學、達爾文進化論和自然科學精神的基礎上，屬於條件決定論。他的條件決定論主要強調三種因素，這就是種族、環境與時代，正是它們決定著文藝創作的特性、風格及發展。《藝術哲學》是將這個理論應用於藝術和藝術史研究的出色範例。作者以豐富的史學和造型藝術知識，縱論求證三要素

同藝術創造的密切關係；同時還探討了藝術的本質在於表現事物的主要特徵也即凸顯的屬性，這實際上強調了創造者的主體意識。《藝術哲學》是「一部有關藝術、歷史及人類文化的巨著」，代表了丹納美學研究的最高峰，也是科學方法滲透藝術研究的典範，對後來的社會學文藝批評以及歷史主義批評產生了深遠的影響。

普列漢諾夫

勞動先於藝術

　　從我上面引證的一些事實可以看到，人的覺察節奏和欣賞節奏的能力，使原始社會的生產者在自己勞動的過程中樂意服從一定的拍子，並且在生產性的身體運動上伴以均勻的唱的聲音和掛在身上的各種東西發出的有節奏的響聲。但是，原始社會的生產者所服從的拍子又是由什麼決定的呢？為什麼在他的生產性的身體運動中恰好遵照著這種而非另一種的節奏呢？這決定於一定生產過程的技術操作性質，決定於一定生產的技術。在原始部落那裏，每種勞動有自己的歌，歌的拍子總是十分精確地適應於這種勞動所特有的生產動作的節奏。隨著生產力的發展，生產過程中有節奏的活動的意義減弱了，但是甚至在文明民族那裏，例如，在德國鄉村裏，一年的各個季節，按照畢歇爾的說法，都有它自己特別的工作聲音，而每種工作都有它自己的音樂。

　　還必須注意到，工作如何進行——由一個生產者或是由整個一群人——決定了歌的產生是為一個歌手或者為整個合唱團，而且後一種又分成若干類。在所有這些場合下，歌的節奏總是嚴格地由生產過程的節奏所決定。不僅如此。生產過程的技術操作性質，對於伴隨工作的歌的內容，也有著決定性的影響。研究勞動、音樂和詩歌的相互關係，使畢歇爾得出這個結論：「在其發展的最初階段上，勞動、音樂

和詩歌是極其緊密地互相聯繫著的，然而這三位一體的基本的組成部分是勞動，其餘的組成部分只具有從屬的意義。」

　　……

　　我還要指出「對稱的規律」。它的意義是巨大的和不容置疑的。它的根源是什麼呢？大概是人自己的身體的結構以及動物身體的結構：只有殘廢者和畸形者的身體是不對稱的，他們總是一定使體格正常的人產生一種不愉快的印象。因此，欣賞對稱的能力也是自然賦予我們的。但是，假如這種能力不是由原始人的生活方式本身所鞏固和培養起來，那麼它發展到怎樣的程度，就不得而知了。我們知道，原始人大都是狩獵者。我們已經清楚，這種生活方式使得從動物界汲取的題材在他們的裝飾中占著統治的地位。而這使原始藝術家──從年紀很小的時候起──就很注意對稱的規律。

　　人所固有的對稱的感覺正是由這些樣式養成的，這從下面的情況可以看出來：野蠻人（而且不僅野蠻人）在自己的裝飾中重視橫的對稱甚於直的對稱。瞧一瞧您第一次遇到的人或動物的形狀（當然不是畸形的），您就會看出，它所固有的對稱正是前一種，而非後一種。此外，必須注意，武器和用具僅僅由於它們的性質和用途，也往往要求對稱的形式。最後，依據格羅塞的完全正確的意見，如果裝飾自己盾牌的澳洲野蠻人認識對稱的意義就像具有高度文明的建造帕德嫩神殿的人一樣，那麼很明顯，對稱的感覺本身在藝術史上根本什麼也沒有說明，而且在這個情況下，正如在其它一切情況下一樣，必須這樣說：自然給予人以能力，而這種能力的練習和實際運用則由他的文化的發展進程所決定。

……

　　據斯賓塞說，兇猛的動物向我們清楚地表明，它們的遊戲就是假裝的獵捕和假裝的搏鬥。全部遊戲「無非是追逐獵取物的戲劇性表演，也就是說，是破壞的本能在得不到現實的滿足之下的想像的滿足」。這是什麼意思呢？這就是說，動物的遊戲的內容是由它們藉以維持生存的活動所決定的。那麼，是什麼先於什麼：遊戲先於功利活動呢，還是功利活動先於遊戲呢？很明顯，功利活動先於遊戲，前者「先於」後者。我們在人類那裏又看到什麼呢？兒童的「遊戲」——玩洋娃娃，扮演作客等等——是成年人活動的戲劇性表演。但是成年人在自己的活動中追求什麼樣的目的呢？在絕大多數場合下他們是追求功利目的的。這就是說，在人們那裏，追求功利目的的活動，換句話說，維持單個人和整個社會的生活所必需的活動，先於遊戲，而且決定著遊戲的內容。這就是從斯賓塞關於遊戲所說的話裏合乎邏輯地得出的結論。

……

　　不，敬愛的先生，我堅決地相信，如果我們不把握著下面這個思想：勞動先於藝術，總之，人最初是從功利觀點來觀察事物和現象，只是後來才站到審美的觀點上來看待它們，那麼我們將一點也不懂得原始藝術的歷史。

（選自〔俄〕普列漢諾夫，曹葆華譯《論藝術（沒有地址的信）》，生活讀書新知三聯書店 1973 年版）

編選說明 ●●●

　　格奧爾吉·瓦連廷諾維奇·普列漢諾夫（Georgii Valentlnovich Plekhanov，1856-1918），俄國馬克思主義理論家、文藝理論家、美學家、社會活動家。《論藝術（沒有地址的信）》發表於 1899—1900 年，是馬克思主義美學史上第一部運用唯物史觀的基本觀點和方法研究藝術起源的成功之作，也是馬克思主義美學的經典著作之一。作者運用馬克思主義的立場和方法，通過對原始音樂、舞蹈、繪畫藝術以及它們同生產勞動實際聯繫的分析，系統地論述了藝術的起源及其發展問題，認為藝術不是起源於「遊戲」，而是起源於生產勞動。這本書對中國文學界和藝術界的影響巨大。

貝爾

藝術是有意味的形式

　　一切審美方式的起點必須是對某種特殊感情的親身感受，喚起這種感情的物品，我們稱之為藝術品，大凡反應敏捷的人都會同意，由藝術品喚起的特殊感情是存在的。我的意思當然不是指一切藝術品均喚起同一種感情。相反，每一件藝術品都引起不同的感情。然而，所有這些感情可以被認為是同一類的。迄今為止，那些最有見解的人的看法與我的看法是一致的。我認為，視覺藝術品能喚起某種特殊的感情，這對任何一個能夠感受到這種感情的人來說都是不容置疑的，而且，各類視覺藝術品，如：繪畫、建築、陶瓷、雕刻以及紡織品等等，都能喚起這種感情。這種感情就是審美情感。假如我們能夠找到喚起我們審美感情的一切審美對象中普遍的而又是它們特有的性質，那麼我們就解決了我所認為的審美的關鍵問題。我們就會找到藝術品的基本性質，即，將藝術品與其它一切物品區別開來的性質。

　　……

　　藝術品中必定存在著某種特性，離開它，藝術品就不能作為藝術品而存在；有了它，任何作品至少不會一點價值也沒有。這是一種什麼性質呢？什麼性質存在於一切能喚起我們審美感情的客體之中呢？什麼性質是聖‧索菲亞教堂、卡爾特修道院的窗子、墨西哥的雕塑、波斯的古碗、中國的地毯、帕多瓦（padua）的喬托的壁畫，以及普

辛（Poussin）、皮埃羅・德拉、弗朗切斯卡和塞尚的作品中所共有的性質呢？看來，可做解釋的回答只有一個，那就是「有意味的形式」。在各個不同的作品中，線條、色彩以某種特殊方式組成某種形式間的關係，激起我們的審美感情。這種線、色的關係和組合，這些審美的感人的形式，我稱之為有意味的形式。「有意味的形式」，就是一切視覺藝術的共同性質。

我的「有意味的形式」既包括了線條的組合也包括了色彩的組合。形式與色彩是不可能截然分開的；不能設想沒有顏色的線，或者沒有色彩的空間；也不能設想沒有形式的單純色彩間的關係。在一幅黑白畫裏，空間雖是白的，但它們是被黑色線條圈起來的白色；更何況大多數油畫的空間都是復色的，圍線也是多彩的；不能想像沒有內容的圍線，或沒有圍線的內容。因此，在我談起「有意味的形式」之際，意指那種從審美上感動我的線條、色彩（包括黑白兩色）的組合。

……

我們都清楚，有些畫雖使我們發生興趣，激起我們的愛慕之心，但卻沒有藝術品的感染力。此類畫均屬於我稱為「敘述性繪畫」一類，即它們的形式並不是能喚起我們感情的對象，而是暗示感情，傳達信息的手段。具有心理、歷史方面價值的畫像、攝影作品、連環畫以及花樣繁多的插圖都屬於這一類。

……

所謂「有意味的形式」就是我們可以得到某種對「終極實在」之感受的形式。我們有充分的理由提出這樣的假設：藝術家靈感產生時

的感情與某些普通人偶而藝術地看待事物的感情，以及我們許多人凝視藝術品時的感情，是同一類的感情，即：都是人們通過純形式對它所揭示的現實本身的感情。可以肯定，大多數人只有通過純形式才能得到這種感情。

……

因為藝術家創造的是有意味的形式，而只有簡化才能把有意味的東西從大量無意味的東西中提取出來。然而，……簡化並不僅僅是去掉細節。還要把剩下的再現形式加以改造，使它具有意味。假如某些再現成分不會損傷構圖，就最好使它成為構圖的一部分，使它除了給予知識之外，還得激發審美情感。

……

在一件藝術品中，每一個形式的形狀都是由藝術家的靈感確定的。我想，藝術家的手必定是受到了將他強烈而確切地感覺到的東西表現出來的需要性的指導。藝術家必須得知道他在追求什麼和他追求的東西是什麼樣子。如果我沒有說錯的話，他一定還在追求把他在一陣心醉神迷之中感覺到的東西換成物質形式。……好的繪畫必須是由靈感完成的，必須是伴隨著形式的情感把握而產生的內心興奮的自然表白。

……

按照這個標準，我們可以判斷一幅畫的優劣。這個標準不是忠實地再現自然，當我們評判一幅畫時，總是把自己的審美感受集中在構圖的一個特定的部分上。那麼，當我們說一幅畫是「好畫」或「次畫」時，我們指的是什麼呢？這一點是明確的，前者是指它能從審美

上打動我們，後者是指「無審美意味」。

（選自〔英〕克萊夫・貝爾，周金環、馬鍾元譯《藝術》，中國文藝
聯合出版公司 1984 年版）

編選説明 ● ● ●

　　克萊夫・貝爾（Clive Bell，1881-1966），英國著名藝術批評家、美學家。《藝術》是貝爾最有影響的著作之一，也是形式主義藝術理論的早期重要文獻。本書密切結合後印象派等現代藝術實踐，提出並論證了「藝術乃是有意味的形式」的論點。在貝爾看來，一切視覺藝術都必然具有某種共同性質，這種共同性質就是「有意味的形式」，即「線、色的關係和組合」、「審美的感人的形式」，沒有它，藝術就不成其為藝術。該書出版後，被認為是現代派藝術理論的柱石，並且一版再版，產生了世界範圍的影響，自此以後，「有意味的形式」成了西方美學和藝術中最流行的口頭禪，被譽為「現代藝術中最令人滿意的理論」。

豪澤爾

藝術對社會的影響

一、藝術作為社會批評

　　自古希臘以來，就不乏對藝術的有用性及其美學教育價值提出質疑的人。藝術能否增長知識、淨化道德和改進社會？柏拉圖關於藝術只能麻醉感官、削弱意志的議論對後人一直產生著影響。直到文藝復興運動，人們才第一次認識到，偉大藝術家創造的藝術本身是崇高的。隨著藝術水準的提高，藝術作品的教育作用也會增長。中世紀時，藝術價值和道德價值是被分離的，那些把藝術看成宣傳手段的人並不是根據其美學價值來評判藝術的。

　　當藝術介入生活的時候，它就會產生社會影響，這種影響可能是積極的，也可能是消極的；可能是建設性的，也可能是破壞性的；可能是讚美的，也可能是批判的。就其本質而言，藝術既不是健康的，又不是有害的。同樣道理，世上不存在風格或品質上對任何社會都可能有益或有害的藝術形式。但在某種條件下，藝術不僅可以反映社會現實，而且可以批判社會，可以診斷和醫治社會的病害。

　　藝術對構成社會所起的作用並不總是同樣重要和明顯的。能從根本上改變社會特徵的不一定是最偉大的藝術家，不一定是古希臘的雕塑家和設計哥特式教堂的藝術大師，不一定是達・芬奇和米開朗琪羅、魯本斯和倫勃朗，而是社會的批判者如勃魯蓋爾、卡洛、荷加

斯、戈雅、米勒和杜米埃。作為社會的批評者，他們改變社會的企圖
比較明顯，在他們那裏，藝術作為對已有社會條件的反應，並在已有
社會矛盾和衝突的制約下，成了新的社會環境的創造者。但作為對現
成思想的反映或宣傳工具的藝術是社會條件的產物，而不是創造者。
每一種社會批評都可被看做社會的自我批評。

　　當藝術反映人的理想和規範的時候，當它創造新的習慣、道德和
思想方式的時候，它對社會構成了規範和榜樣。新的思想方式、趣味
傾向、表達感情的方法和價值標準可能在當時的社會結構中找到自己
的「根」，但人們是通過文學或藝術形式瞭解它們的，並在這些形式
中對社會作出反應。社會對藝術的影響常常不是那麼清晰可見的，但
藝術對社會的影響，不管這種影響如何微不足道，卻常是引人注目
的。

　　當藝術成了騷動、革新、革命的推動力，當它表達了否定現存秩
序的意望並用破壞來威脅它的時候，藝術的社會影響、它對創造社會
所起的作用，就成為顯而易見的了。當然，藝術也同樣具有穩定現存
社會環境、緩和衝突的作用。

二、為藝術而藝術的問題

　　為藝術而藝術的問題對藝術社會學來說是最困難和在許多方面最
具有決定意義的問題，因為藝術社會學的科學性就取決於如何來回答
這個問題。假如為藝術而藝術的立場能夠成立、藝術作品可以被看做
封閉的系統，那麼人們就無法從社會學的角度來確定藝術的意義和目
的。藝術作品的本質和價值是否存在於它的內在結構和表達方式之
中？是否藝術本身就是目的？

　　從歷史唯物主義的觀點看，藝術的社會功能與美學功能之間的矛盾就是藝術作品所要完成的社會和道德責任與它的藝術性之間的矛盾。一件繪畫作品在藝術上可以無懈可擊，但對社會可能是完全無動於衷的；一部小說可以寫法高超，但可能內容輕浮而有害於社會。沒有意義或分量的藝術作品往往只去反映那些無足輕重的小事，而不去觸及生活中的重大事件或人物，其結果使人們對現實作出錯誤的估計，並導致自我欺騙和自我墮落……

　　藝術品質和藝術完成自己任務的先決條件是成功的形式。所有藝術皆自形式始，儘管不以形式終。一件作品要進入藝術領域必須具有最起碼的藝術形式，若要進入最高境界，那麼就要花大氣力。政治或社會內容與藝術形式的結合是藝術作品美學品質的本體要求。這裏把形式看得高於內容並不意味著片面的形式主義，這僅僅是說必須有表現內容的形式，而如何來運用形式完全要靠藝術家的聰明才智。造就一個藝術家的並不是他所表現的對象，而是他表現的方法；造就一個偉大藝術家的則是他所支持的事業加上他的才能。

　　形式和內容是兩個完全不同的東西，兩者之間的矛盾不可能從藝術中消除。世上不存在純粹屬於形式的藝術作品，也沒有純粹屬於內容的藝術作品。福樓拜要想寫一本沒有任何目標的書，即寫一本純粹是形式、毫無內容的書的願望是在做白日夢。正如席勒所說，內容永遠不可能「被形式消滅」。就是最原始、最簡單的形式也是通過內容與形式的矛盾運動才獲得效果的。

　　如果形式能與內容相一致、并受到內容的制約，那麼這種形式就是成功的。可能有些形式不適合於表現某個題材，但對同一題材的表

現不會限於一種形式。對於一件真正的藝術作品來說，形式和內容是融為一體的，人們常常分不清是在看形式呢還是在看內容。

形式隨內容的改變而改變，如新的道德、責任或榮譽概念可能完全改變戲劇形式。但形式仍然代表著內容以外的東西，它不可能變成內容，也不是從內容來的。形式與內容的交互性、不可分割性並由此而產生的反同一性組成了兩者的悖論關係。在它們的發展過程中，形式和內容總是相互刺激，相互促進。只有當有些內容被放棄的時候，形式才可能達到自身的完善。形式和內容的發展過程不是只求單方面完善的過程。兩者可以相互影響，但永遠不可能相互轉化。

（選自〔匈〕阿諾德・豪澤爾，居延安譯編《藝術社會學》，學林出版社 1987 年版）

編選說明 ● ● ●

阿諾德・豪澤爾（Arnold Hauser，1892-1978）是歐洲著名文化社會學家和藝術史學家。《藝術社會學》是豪澤爾完成的最後一部著作，是其藝術史和藝術理論研究集大成的著作。他在本書中探討了藝術的各種形式和各個領域,同時以西方社會文化發展為背景勾勒了藝術史的主要輪廓,可以說是一部從文化史角度出發、以社會學視野研究藝術的百科全書。其中一些具有預見性的觀點，尤其是他對藝術社會功能的論述以及藝術消費的論述，至今仍閃耀著思想的光輝。

裏德

藝術並不一定等於美

一、藝術的定義

叔本華最先主張一切藝術在於追求音樂效果。此說一直被人反覆引用，雖曾導致了許多誤解，但它終究道出了一條重要的真理。基於音樂的抽象性，叔本華認為在音樂裏，藝術家無須通過一般用來達到其它目的的傳達媒介，就可直接愉悅聽眾。眾所週知，建築師只能以具有某種實利目的的建築物來表現自我；詩人只能借助日常用語來表現自我；畫家也往往只能通過再現可見世界來表現自我。而唯獨音樂作曲家自由自在，不受任何約束便能創作出表現自我意識、用來實現愉悅目的的藝術品。藝術家皆具有相同的意向，即愉悅他人的欲望。故此，藝術往往被界定為一種意在創造出具有愉悅性形式的東西。這些形式可以滿足我們的美感。而美感是否能夠得到滿足，則要求我們具備相應的鑒賞力，即一種對存在於諸形式關係中的整一性或和諧的感知能力。

二、美感

所有藝術的基本理論皆始於這一假說：人對呈現在面前的事物形狀、外表與塊體作出反應；一定事物的形狀、外表與塊體中合乎比例的排列會引起人的快感，而缺欠這種排列的事物將引起人的淡漠感，甚至於引起無害的不舒適感或厭惡感。這種起於愉悅關係的快感就是

美感，不快感即醜感。當然，有些人可能意識不到物態中的比例關係。這就如同有些人分辨不出顏色、而另一些人分辨不清事物的形狀、外表與塊體一樣。然而，色盲患者相對來說畢竟罕見，故此，我們有充分的理由相信，那種完全意識不到事物可見特徵的人也是微乎其微的。即便有，也大都因為蒙昧遲鈍的緣故。

三、美的定義

目前至少流行著十多種有關美的定義，其中唯有我給美所下的物理定義（美是存在於我們感性知覺裏諸形式關係的整一性）是最基本的定義。在此基礎之上，我們方可建立起一種涵蓋一切藝術要旨的藝術理論來。首先，應當強調指出美的極端相對性。換句話說，藝術與美之間並無必然的聯繫。假若從古希臘人最早提出的、由歐洲古典藝術傳統所承襲的那個審美觀念出發，來界定美的含義，我們就會發現上述觀點是一個完全符合邏輯的推斷。我個人傾向於把美感視為一種情感的起伏波動現象，其表現形式有史以來就非常難以確定，令人迷惑不解。藝術務必包含所有這些表現形式。檢驗一位嚴肅的藝術工作者（不管他本人的美感如何），主要看他是否願意把不同歷史時期的人的美感表現形式納入藝術領域。如果在他眼裏，原始藝術、古典藝術、哥特藝術都具有同等程度的審美趣味，他將不會為了鑒別出各歷史時期美感表現形式的真偽，而花費過多的精力去評判各時期美感表現形式的相對價值。

四、藝術與美的區別

我們之所以對藝術有許多誤解，主要因為我們在使用「藝術」和「美」這兩個字眼時缺乏一致性。可以說，我們長期以來一直濫用著

這兩個詞。我們總以為凡是美的就是藝術，或者說，凡是藝術就是美的；凡是不美的就不是藝術，醜是對藝術的否定。這種對藝術和美的區別是妨礙我們鑒賞藝術的根本原因，甚至對於那些美感十分靈敏的人來說也是如此。此外，在藝術非美的特定情況下，這種把美與藝術混同一談的假說往往在無意之中會起一種妨礙正常審美活動的作用。事實上，藝術並不一定等於美。這一點已無須翻來覆去地重申強調了。因為，無論我們是從歷史角度（藝術的歷史沿革），還是從社會學角度（目前世界各地現存的藝術形態）來看待這個問題，我們都將會發現藝術無論在過去還是現在，常常是一件不美的東西。

（選自〔英〕赫伯特·裏德，王柯平譯《藝術的真諦》，遼寧人民出版社 1987 年版）

編選說明 ● ● ●

　　赫伯特·裏德（Herbert Read，1893-1968），英國詩人、藝術批評家和美學家。裏德不僅是一位廣為人知的藝術評論家兼美學家，而且是一位頗具盛名的詩人與畫家。《藝術的真諦》是一部系統的藝術概論專著，具有濃厚的趣味性和豐富的知識性，被英國《明星》藝術雜誌稱為「絕無僅有的最簡明扼要的有助於藝術欣賞的藝術概論」。作者憑藉多年豐厚的藝術實踐，提出「藝術不等於美」的不等式理論，這既是對傳統美學理論的挑戰，也是對傳統美學理論的豐富。

貢布里希

論藝術和藝術家

　　現實中根本沒有藝術這種東西，只有藝術家而已。所謂的藝術家，從前是用有色土在洞窟的石壁上大略畫個野牛形狀；現在的一些人則是購買顏料，為招貼板設計廣告畫；過去也好，現在也好，藝術家還做其它許多工作。只是我們要牢牢記住，用於不同的時期、不同的地方，藝術這個名稱所指的事物會大不相同，只要我們心中明白根本沒有大寫的藝術其物，那麼把上述工作統統叫做藝術倒也無妨。事實上，大寫的藝術已經成為叫人害怕的怪物和為人膜拜的偶像了。要是你說一個藝術家剛剛完成的作品可能有其妙處，然而卻不是藝術，那就會把他挖苦得無地自容。如果一個人正在欣賞繪畫，你說畫面為他所喜愛的東西並非藝術，而是別的什麼東西，那也會把他搞得狼狽不堪。

　　實際上，我認為喜愛一件雕塑或者喜愛一幅繪畫絕不會有站不住腳的理由。某人喜愛一幅風景畫也許是因為畫面使他想起自己的家鄉；他喜愛一幅肖像畫也許是因為畫面使他想起一位朋友。這絲毫沒有過錯。我們看到一幅畫時，誰都難免回想起許許多多東西，牽動自己的愛憎之情。只要它們有助於我們欣賞眼前看到的東西，大可聽之任之，不必多慮。只是由於我們想起一件不相干的事情而產生了偏見時，由於我們不喜歡爬山而對一幅壯麗的巍峨的高山圖下意識地掉頭

不顧時，我們才應該捫心自問，到底是什麼原因引起了我們的厭惡，破壞了本來會在畫面中享受到的樂趣。確實有一些站不住腳的理由會使人厭惡一件藝術品。

　　大多數人喜歡在畫面上看到一些在現實中他也愛看的東西，這是非常自然的傾向。我們都喜愛自然美，都對那些把自然美保留在作品之中的藝術家感謝不盡。我們有這種趣味，而那些藝術家本身也不負所望。偉大的佛蘭德斯畫家魯本斯在給他的小男孩作素描時，一定為他的美貌而感到得意。他希望我們也讚賞這個孩子。然而，如果我們由於愛好美麗動人的題材，就反對較為平淡的作品，那麼這種偏見就很容易變成絆腳石。偉大的德國畫家阿爾佈雷希特・丟勒在畫他的母親時，必然像魯本斯對待自己圓頭圓腦的孩子一樣，也是充滿了真摯的愛。他這幅畫稿是如此真實地表現出老人飽經憂患的桑榆晚景，也許會使我們感到震驚，望而卻步。可是，如果我們能夠抵制住一見之下的厭惡之感，也許就能大有收穫；因為丟勒的素描栩栩如生，堪稱傑作。事實上，我們很快就會領悟，一幅畫的美麗其實並不在於它的題材美麗。我不知道西班牙畫家穆裏略〔Murillo〕喜歡畫的那些破衣爛衫的小孩子們是不是長得確實漂亮。但是，一經出於畫家筆下，他們的確具有巨大的魅力。反之，大多數人會認為皮特爾・德・霍赫〔Pieter de Hooch〕那幅絕妙的荷蘭內景畫中的孩子相貌平庸，儘管如此，作品依然引人入勝。

　　……

　　人們對藝術的認識過程永無止境，總有新的東西有待發現。當人們站在前面去觀看它們的時候，那些作品似乎一次一個面貌。它們似

乎跟活生生的人一樣莫測高深，難以預言。那是它自己的一個動人心弦的世界，有它自己的獨特法則和它自己的奇遇異聞。任何人都不應該認為自己已經瞭解了它的一切，因為誰也沒有做到這一點。也許最重要不過的就是這一點：我們想欣賞那些作品，就必須具有一顆赤子之心，敏於捕捉每一個暗示，感受每一種內在的和諧，特別是要排除冗長的浮華辭令和現成套語的干擾。由於一知半解而引起自命不凡，那就遠遠不如對藝術一無所知。誤入歧途的危險確實存在。例如有這樣的人，他們聽了我在本章中試圖闡述的一些簡單的論點，知道有些偉大的藝術作品絲毫看不出明顯的表現之美和正確的素描技法，可是他們陶醉於自己的知識，竟至故作姿態，只喜歡畫得既不美又不正確的作品。他們總是害怕一旦承認自己喜歡那種似乎過於明顯地悅目或動人的作品，就會被人認為是無知之輩。於是他們冒充行家，失去了真正的藝術享受，看到自己內心感覺有些厭惡的東西就說是「妙趣橫生」。我不想對這一類誤解承擔責任。我寧願人家完全不相信我的話，也不想讓人家這樣迷信盲從。

（選自〔英〕貢布里希，范景中譯，林夕校《藝術發展史：藝術的故事》，天津人民美術出版社 2006 年版）

編選說明 ● ● ●

　　恩斯特・貢布里希（Ernst Hans Gombrich, 1909-2001），英國當代最有影響的藝術史家。《藝術的故事》是貢布里希最重要的著作之

一，被譽為藝術史中的聖經，它向世界上成千上萬人簡明地介紹了西方的藝術。貢布里希在本書中以當代觀念重新把握藝術史，幾乎對每一個論題都給出了嶄新的見解。他學識淵博，但表達得不露聲色；敘述手法簡單，卻總能創造一種意外的感覺。他使人們把對藝術的理解變成了一種生動的過程，使觀看藝術（知覺經驗）變成了一種奇遇。本篇選自《藝術的故事·導論》。在這篇導論中，貢布里希表達了這樣一種統攝性的思想：「現實中根本沒有藝術這種東西，只有藝術家而已。」對此，當今英國第一流的雕塑家果莫利（Antony Gormley）由衷讚美道：「他是一位真正的人文主義者。他把藝術看作人的歷史，正是這個原因，《藝術的故事》才激動人心。」

蔡元培
以美育代宗教

　　我向來主張以美育代宗教，而引者或改美育為美術，誤也。我所以不用美術而用美育者，一因範圍不同，歐洲人所設之美術學校，往往止有建築，雕刻，圖畫等科，並音樂文學，亦未列入；而所謂美育，則自上列五種外，美術館的設置，劇場與影戲院的管理，園林的點綴，公墓的經營，市鄉的布置，個人的談話與容止，社會的組織與演進，凡有美化的程度者均在所包；而自然之美，尤供利用；都不是美術二字所能包舉的。二因作用不同，凡年齡的長幼，習慣的差別，受教育程度的深淺，都令人審美觀念互不相同。

　　我所以不主張保存宗教，而欲以美育來代它，理由如下：

　　宗教本舊時代教育，各種民族，都有一個時代，完全把教育權委於宗教家；所以宗教中兼含著智育，德育，美育的原素。說明自然現象，記上帝創世次序，講人類死後世界等等是智育。猶太教的十戒，佛教的五戒，與各教中勸人去惡行善的教訓，是德育。各教中禮拜，靜坐，巡遊的儀式，是體育。宗教家擇名勝的地方，建築禮堂，飾以雕刻圖畫，並參用音樂舞蹈，佐以雄辯與文學，使參與的人有超塵世的感想，是美育。

　　從科學發達以後，不但自然歷史，社會狀況，都可用歸納去求出真相；就是潛識、幽靈一類，也要用科學的方法來研究他；而宗教上

所有的解說，在現代多不能成立，所以智育與宗教無關。歷史學、社會學、民族學等發達以後，知道人類行為是非善惡的標準，隨地不同，隨時不同；所以現代人的道德，須合於現代的社會，決非數百年或數千年以前之聖賢所能預為規定，而宗教上所懸的戒律，往往出自數千年以前，不特罣漏太多，而且與事實相衝突的，一定很多，所以德育方面，也與宗教無關。自衛生成為專學，運動場療養院的設備，因地因人，各有適當的布置，運動的方式，極為複雜；旅行的便利，也日進不已，決非宗教上所有的儀式所能比擬，所以體育方面，也不必倚賴宗教。於是，宗教上所被認為尚有價值的，止有美育的原素了。莊嚴偉大的建築，優美的雕刻與繪畫，奧秘的音樂，雄深或婉摯的文學，無論其屬於何教，而異教的或反對一切宗教的人，決不能抹殺其美的價值，是宗教上不朽的一點止有美。

　　然則保留宗教，以當美育，可行麼？我說不可。

　　一、美育是自由的，而宗教是強制的；

　　二、美育是進步的，而宗教是保守的；

　　三、美育是普及的，而宗教是有界的；

　　因為宗教中美育的原素雖不朽，而既認為宗教的一部分，則往往引起審美者的聯想，使彼受智育德育諸部分的影響，而不能為純粹的美感，故不能以宗教充美育，而止能以美育代宗教。

　　　　　　（選自《蔡元培美學文選》，北京大學出版社 1983 年版）

編選說明 ●●●

　　蔡元培（1868-1940），中國近代著名思想家、教育家、美學家和美育實踐家。以美育代宗教說是蔡元培最著名的美育思想。蔡元培以西方近代審美主義和中國古典人文精神作為思想資源，重建中國現代審美教育對人的完善的價值追求，力求為中國現代社會變革提供一種審美主義轉變和審美主義的道路，從而在中國的現代性遭遇中樹立起審美主義的旗幟。正是在這種思想的主導下，蔡元培以其在教育界的影響力深入貫徹了「為人生的藝術」的思想，他對美育的大力提倡不僅推動了民國初年的藝術教育，且影響深遠。

徐悲鴻

藝術家之功夫

　　研究藝術，務須誠篤。吾輩之習繪畫，即研究如何表現種種之物象。表現之工具，為形象與顏色。形象與顏色即為吾輩之語言，非將此二物之表現，做到功夫美滿時，吾輩即失卻語言作用似矣。故欲使吾輩善於語言，須於宇宙萬象，有非常精確之研究，與明晰之觀察，則「誠篤」尚矣。其次學問上有所謂力量者，即吾輩研究甚精確時之確切不移之焦點也。如顏色然，同一紅也，其程度總有些微之差異，吾人必須觀察精確，表現其恰當之程度，此即所謂「力量」，力量即是絕對的精確，為吾輩研究繪畫之真精神。試觀西洋各藝術品，如全盛時代之希臘作品，及米開朗琪羅、達‧芬奇、提香等諸人之作品，無一不具精確之精神，以成偉大者。至如何涵養此種之力量，全恃吾人之功夫。研究繪畫者之第一步功夫即為素描，素描是吾人基本之學問，亦為繪畫表現唯一之法門。素描拙劣，則於一個物象，不能認識清楚，以言顏色更不知所措，故素描功夫欠缺者，其所描顏色，縱如何美麗，實是放濫，凡與無顏色等。歐洲繪畫界，自十九世紀以來，畫派漸變。其各派在藝術上之價值，並無何優劣之點，此不過因歐洲繪畫之發達，若干畫家製作之手法稍有出入，詳為分列耳。如馬奈、塞尚、馬蒂斯諸人，各因其表現手法不同，列入各派，猶中國古詩中之瀟灑比李太白、雄厚比杜工部者也。吾輩研究各派，須研究各派功

夫之所在（如印象派不專究小輪廓，而重色影與氣韻，其功夫即在色彩上），否則便不能洞見其實際矣。其次有所謂「巧」字，是研究藝術者之大敵。因吾人研究之目標，要求真理，唯誠篤，可以下切實功夫，研究至絕對精確之地步，方能獲偉大之成功。學「巧」便固步自封，不復有為，烏能至絕對精確，於是我人之個性亦不能造就十分強固矣。

二十歲至三十歲，為吾人憑全副精力觀察種種物象之期，三十以後，精力不甚健全，斯時之創作全恃經驗記憶及一時之感覺，故須在三十以前養成一種至熟至精確之力量，而後製作可以自由。法國名畫家莫內九十歲時之作品，手法一絲不苟，由是可想見其平日素描之根底。故吾人研究繪畫，當在二三十歲時，刻苦用功，分析精密之物象，涵養素描功夫，將來方可成傑作也。

諸位，藝術家之功夫，即在於此。兄弟不信世界上有甚天才，是在吾輩切實研究耳。諸位目今方在二三十歲之際，正當下功夫之時期，還望善自努力也。

（選自張勝友、蔣和欣主編《中華百年經典散文》，作家出版社2004年版）

編選説明 ● ● ●

徐悲鴻（1895-1953），中國現代著名繪畫藝術大師、美術教育家。少年時代就開始學習繪畫，後以畫馬而馳名世界。《藝術家之功

夫》是徐悲鴻的一篇具有理論色彩的藝術隨筆，作為經典美文被收入多種選本，廣為流傳。文章認為研究藝術首要的是「務須誠篤」，其次便是「力量」，即「絕對的精確」，而其真實用意是要告誡每一個從事藝術創作的人：要想成為出色的藝術家，先要做一個平常人，有成績的大家走的都是最普通的生活的路子。在文章結尾他說：「兄弟不信世界上有甚天才。」這種反「天才說」的論調，堪稱當時藝術界的一股清風。走進《藝術家之功夫》，我們可以看到一個藝術家誠實地對待生活、科學地對待藝術的態度。

徐復觀

　　　　　　　　　　　　　　　　　　　●　●　●

莊子的藝術欣賞

　　中國在戰國時代，不僅藝術發達到了相當的高度，而且內容也非常豐富。在《莊子》一書中，不斷提到「文章」（此指顏色之美）、「五色」及「鐘鼓」、「六律」等的藝術。最重要的是：中國古代藝術，到了戰國時代，發生了實質上的變化。日本關野雄在其所著《中國考古學研究》一書的《藝術上之諸問題》一章中，從許多戰國時代的黑陶、明器、女俑及半瓦當的樹木文，和一部分青銅器上的動物、狩獵文中，指出在戰國以前的青銅藝術，主要是象徵統治者的權威，所以只重形式的繁縟，卻又充滿了陰鬱苦重的氣味。由上述出土的東西所反映出的戰國時代的藝術，卻充滿了爽朗地、韻律地、生動地表現，而可以訴之於現在的感覺。他說：「我們於此可以看出從傳統重壓中所解放出的世界（按：指有了自由的世界），開始可以聽到中國古代快樂的歌聲。作這些女俑的工人們，在無意識中把握到了什麼才是真的藝術。」（原書四八三頁）此種變化的原因，關野氏以為一是受了北方斯基泰民族藝術（Scythain Art）的影響，一是因為「庶民文化的抬頭」（原書四八五頁）。當時的工匠們，於不識不知之中，把技術進入於新的藝術境界，以表現新的藝術意味的情形，不僅一經莊子之目，或者再加上他的若干想像，而立即把握住了，加以描述、欣賞。並且所有對於這類的材料，他都把蘊蓄在裏面的藝術精神，及精神與

技巧上的修養，發掘出來，無形中成為我國爾後藝術家所追求的典型、典範。這在莊子，只不過是作為一種象徵的意味，而提到這些故事，乃至想像出這些故事。但他之所以不斷地提到、想到，一方面是說明了他不期然而然地流露出的藝術趣味。同時，他提到、想到如此地深刻，如此地真切，更可以證明所有這些故事，是與莊子自己的藝術精神，心心相印，甚至於是出於莊子自己藝術精神不容自己地要求而提出、想出的。除了庖丁解牛及梓慶削木為的故事，前面已經錄出之外，下面我更將其餘的故事錄出，以見莊子整個人格的精神，與這些故事中所表現的限於一事一物的精神，實係一脈相通，亦猶一漚之與大海，雖量分懸殊，而本質不二。

……

　　上面所引的各故事，既非出於《莊子》一書中之特定一篇；而各篇之作者，只能說是出於莊子及其學徒，可能也非成於一人乃至一時。但這些故事中所含的內容，幾乎完全是一貫的。約略言之：（一）非常重視技巧。這種技巧，要達到手與心應、指與物化的程度。（二）手與心應之心，乃是心與物相融之心，亦即是主客一體之心。（三）要達到心與物相融，須經過「齊以靜心」的工夫；這即是莊子之所謂「心齋」、「坐忘」。這是藝術家人格修養的起點，也是藝術家人格修養的終點。（四）由上述的精神所達到的技巧上的特別成就，與一般的技巧相較，莊子及其學徒，便稱之為道，此即庖丁所謂「臣之所好者道也，進乎技矣」。進乎技，是由實用的要求與拘束，而達到藝術的自由解放。（五）莊子的所謂道，與藝術家的道的關係，正如前所述的列禦寇之射，與伯昏無人之射一樣，有偏與全之別，而無本質之

別。最重要的是，在這些故事中的內容的一貫性，正是來自莊子所體現出的藝術精神的根源性，整全性。而在莊子，則謂之「體道」。

（選自徐復觀《中國藝術精神》，商務印書館 2010 年版）

編選說明 ● ● ●

　　徐復觀（1903-1982），原名秉常，字佛觀，後由熊十力更名為復觀。在抗戰時曾師事熊十力，接受熊十力「欲救中國，必須先救學術」的思想，從此下決心去政從學。《中國藝術精神》可謂是他的一部影響最大的著作。徐先生認為，中國文化中的藝術精神，窮究到底，只有孔子和莊子所顯出的兩個典型，是道德與藝術在窮極之地的統一，可以作萬古的標程。而由莊子所顯出的典型，徹底是純粹的中國藝術精神的性格；或者說，中國藝術的精神，是莊子的精神。

李澤厚

積澱：對美的歷史一種闡釋

　　對中國古典文藝的匆匆巡禮，到這裏就告一段落。跑得如此之快速，也就很難欣賞任何細部的豐富價值。但不知鳥瞰式的觀花，能夠獲得一個雖籠統卻並不模糊的印象否？

　　藝術的各種突出的不平衡性，經常使人懷疑究竟能否或應否作這種美的巡禮。藝術與經濟、政治發展的不平衡，藝術各部類之間的不平衡，使人猜疑藝術與社會條件究竟有無聯繫？能否或應否去尋找一種共同性或普遍性的文藝發展的總體描述？民生凋敝、社會苦難之際，可以出現文藝高峰；政治強盛，經濟繁榮之日，文藝卻反而萎縮。同一社會、時代、階級也可以有截然不同、彼此對立的藝術風格和美學流派。……這都是常見的現象。客觀規律在哪裏呢？韋列克（renè wellek）就反對作這種探究（見其與沃倫合著《文學概論》）。但我不能同意這種看法，因為所有這些，提示人們的只是不應作任何簡單化的處理，需要的是歷史具體的細緻研究；然而，只要相信人類是發展的，物質文明是發展的，意識形態和精神文化最終（而不是直接）決定於經濟生活的前進，那麼這其中總有一種不以人們主觀意志為轉移的規律，在通過層層曲折管道起作用，就應可肯定。例如，由於與物質生產直接相連，在政治穩定經濟繁榮的年代，某些藝術部類如建築、工藝等等，就要昌盛發達一些，正如科學在這種時候一般也

更有發展一樣。相反，當社會動亂生活艱難的時期，某些藝術部類如文學、繪畫（中國畫）卻可以相對繁榮發展，因為它們較少依賴於物質條件，而正好作為黑暗現實的對抗心意而出現。正如這個時候，哲學思辨也可以更發達一些，因為時代賦予它以前景探索的巨大課題，而不同於在太平盛世沉浸在物質歲月中而毋須去追求精神的思辨、解脫和慰安一樣……總之，只要相信事情是有因果的，歷史地具體地去研究探索便可以發現，文藝的存在及發展仍有其內在邏輯。從而，作為美的歷程的概括巡禮，也就是可以嘗試的工作了。

　　一個更大的問題是，如此久遠、早成陳跡的古典文藝，為什麼仍能感染著、激動著今天和後世呢？即將進入新世紀的人們為什麼要一再去回顧和欣賞這些古跡斑斑的印痕呢？如果說，前面是一個困難的藝術社會學的問題，那麼這裏就是一個有待於解決的、更為困難的審美心理學問題。馬克思曾經尖銳地提過這個問題。解決藝術的永恆性秘密的鑰匙究竟在哪裏呢？一方面，每個時代都應該有自己時代的新作，誠如車爾尼雪夫斯基所說，儘管是莎士比亞，也不能代替今天的作品；藝術只有這樣才流成變異而多彩的巨川；而從另一方面，這裏反而產生繼承性、統一性的問題。譬如說，凝練在上述種種古典作品中的中國民族的審美趣味、藝術風格，為什麼仍然與今天人們的感受愛好相吻合呢？為什麼會使我們有那麼多的親切感呢？是不是積澱在體現在這些作品中的情理結構，與今天中國人的心理結構有相呼應的同構關係和影響？人類的心理結構是否正是一種歷史積澱的產物呢？也許正是它蘊藏了藝術作品的永恆性的秘密？也許，應該倒過來，藝術作品的永恆性蘊藏了也提供著人類心理共同結構的秘密？生產創造

消費，消費也創造生產。心理結構創造藝術的永恆，永恆的藝術也創造、體現人類傳流下來的社會性的共同心理結構。然而，它們既不是永恆不變，也不是倏忽即逝、不可捉摸。它不會是神秘的集體原型，也不應是「超我」（super）。心理結構是濃縮了的人類歷史文明，藝術作品則是打開了的時代魂靈的心理學。而這，也就是所謂「人性」吧？

重複一遍，人性不應是先驗主宰的神性，也不能是官能滿足的獸性，它是感性中有理性，個體中有社會，知覺情感中有想像和理解，也可以說，它是積澱了理性的感性，積澱了想像、理解的感情和知覺，也就是積澱了內容的形式，它在審美心理上是某種待發現的數學結構方程，它的對象化的成果是本書第一章講原始藝術時就提到的「有意味的形式」（significant form）。這也就是積澱的自由形式，美的形式。

美作為感性與理性，形式與內容，真與善，合規律性與合目的性的統一（參看拙作《批判哲學的批判──康德述評》末章），與人性一樣，是人類歷史的偉大成果，那麼儘管如此匆忙的歷史巡禮，如此粗糙的隨筆札記，對於領會和把握這個巨大而重要的成果，該不只是一件閒情逸致或毫無意義的事情吧？

俱往矣。然而，美的歷程卻是指向未來的。

（選自李澤厚《美的歷程》，文物出版社 1981 年版）

編選說明 ● ● ●

　　李澤厚（1930-），著名哲學家，現為中國社會科學院哲學研究所研究員、巴黎國際哲學院院士。主要從事中國近代思想史和哲學、美學研究。作者以優美流暢的文筆，從藝術社會學和審美心理學的角度，對中國藝術美學歷史進行了宏觀的描述和內在邏輯的深刻揭示。本書出版於 20 世紀 90 年代，在讀者中引起廣泛的反響，成為中國美學史研究的經典之作。特別是書中提出「美作為感性與理性，形式與內容，真與善，合規律性與合目的性的統一」的結論，時至今日，仍具有學術影響力。

[二 ··· 造型藝術]

達·芬奇

詩畫比較：畫勝過詩

論繪畫與詩：在表現言詞上，詩勝畫；在表現事實上，畫勝詩。事實與言詞之間的關係，和畫與詩之間的關係相同。由於事實歸肉眼管轄，言詞歸耳朵管轄，因而這兩種感官之間的相互關係也同樣存在於各自的對象之間，所以我斷定畫勝過詩。只因畫家不曉得替自己的藝術辯護，以至長久以來沒有辯護士。繪畫無言，它如實地表現自己，它的結果是實在的；而詩的結果是言詞，並以言詞熱烈地自我頌揚。

畫家同詩人爭辯：戀人呵，有哪一位詩人能用語言將你心愛的人表現得像畫家作的畫像一般惟妙惟肖呢？誰能比畫家更真實地將那體現了往日的歡樂的河川、樹林、山谷與原野顯示給你呢？如果你說，繪畫如果沒有人講解它的內容，就是一篇啞詩，那麼你沒見你的詩比這還要糟麼？因為縱使有人講解詩，詩中內容卻無一可見，不若講解

圖畫的人能夠談到可以目擊的形象了。畫所表現的人物神情只要和他們的內心活動相適應，它就能被人理解，與能說話毫無二致。被稱為靈魂之窗的眼睛，乃是心靈的要道，心靈依靠它才得以最廣泛最宏偉地考察大自然的無窮作品。耳朵則居次位，它依靠收聽肉眼目擊的事物才獲得自己的身價。你們史學家、詩人或數學家，假若不曾親眼目睹某事物，那就很難用文字記述它們。詩人呵，如果你用筆來描寫一個故事場面，那麼畫家用畫筆繪畫就更容易使人滿意，讓人看起來也不那麼費事。

　　如果你稱繪畫為啞巴詩，那麼詩也可以叫做瞎子畫。試想，哪一種創作更重，是瞎眼還是啞巴？

　　繪畫包羅自然的一切形態在內，而你們詩人除事物的名稱以外一無所有，而名稱不及形狀普遍。假如你們擁有表現的結果，我們則擁有結果的表現。就一個例子看吧，一位詩人給一位戀人敘述他情婦的美，再讓畫家來表現她，你就會看出情人在判斷的時候，天性引他偏向哪一邊。

　　當然問題需要通過經驗來證明。你把繪畫納入機械藝術門類，但假使畫家也能像你們一樣用文章來頌揚自己的作品，我相信他們一定不會容忍如此的屈辱。如果因為繪畫是手藝，需要手畫出想像中的內容，而把它叫做機械的，那麼你們詩人同樣也用手中的筆書寫你們想像的內容。如果你說因為它是為金錢而畫，所以是機械的，那麼有誰比你們更經常犯這過錯呢（如果這能叫過錯的話）？假如你去課堂講學，你不是找報酬最高的地方去麼？你可曾幹過什麼沒有酬勞的工作麼？我說這些，並非為了指責這種行為，因為一切勞動總希望報酬

的。詩人會說：我能創作一篇意義重大的故事，畫家又何嘗不能。

如果你說詩耐久，我說銅匠的作品還要耐久，他們的作品比之你們或我們的作品更經得起歲月的磨蝕。但是他們缺乏想像。如果用磁釉畫在銅板上，也可以使畫更經久些。

由於我們的藝術，我們可被稱為上帝的孫兒。

如果詩包容倫理哲學，繪畫則研究自然哲學。假使詩歌描寫精神活動，繪畫則研究反映在人體動態上的精神活動。倘若詩以地獄的虛構使人驚恐，畫的描繪也不在其下。假使詩人和畫家較量，描寫美人、醜物或是猙獰恐怖的妖怪，讓畫家按自己的方式工作，隨心所欲地變化形象，畫家一定會更使人滿意。我們難道沒見過一些極其肖似實物的畫，使人和動物一齊上當麼？（編者注：西方繪畫史上有一則著名的故事。有兩位希臘畫家邱克西斯和帕哈修士比賽看誰的畫逼真。邱克西斯先畫了一串葡萄，引起飛鳥爭來啄食，得意之餘，向觀眾說「讓我們再拉開布幕看看帕哈修士給我們什麼」，說罷伸手拉幕，不料這布幕正是帕哈修士畫的畫。帕哈修士布幕騙過了畫家的眼睛。）

（選自戴勉編譯《達・芬奇論繪畫》，人民美術出版社 1979 年第一版）

編選說明 ●●●

萊昂納多・達・芬奇（Leonardo da Vinci，1452-1519），意大利

文藝復興時期畫家，歐洲文藝復興時期最傑出的代表人物之一。他是一位思想深邃、學識淵博、多才多藝的藝術大師、哲學家、詩人、工程師和發明家。在達・芬奇之前，西方人多半著眼於詩與畫的相似，把詩畫等同起來的思想也支配著詩人們和畫家們的實踐。達・芬奇的畫論第一次系統地分析了詩和畫之間的區別。他根據詩畫所服務的感官的不同，深刻地論證詩畫的區別。指出：詩是聽覺的藝術，畫是視覺的藝術，詩的手段是語言文字，畫的手段是逼真的形象，因此詩擅長表現辭藻和對話，繪畫表現有形物體的精確和快速非文字能比，等等。從論述中看，達・芬奇顯然對繪畫更為偏愛。

萊辛

詩畫界線

　　詩和畫的類似的一致已經多次得到了充分的討論，但是這種討論往往不夠精確，不足以防止對於詩或畫的一切壞影響。這種壞影響在詩中表現為描繪狂，在畫中表現為寓意狂。人們想把詩變成一種有聲的畫，而不能確切地知道詩能夠描繪什麼，應當描繪什麼；人們也想把畫變成一種無聲的詩，而不能確切地知道畫應否描繪思想，或是應描繪哪種思想。如果人們對詩和畫的差別和分歧也加以適當的衡量，上述錯誤就可以避免。

　　詩和畫固然都是模仿的藝術，出於模仿概念的一切規律固然同樣適用於詩和畫，但是二者用來模仿的媒介或手段卻完全不同，這方面的差別就產生出它們各自的特殊規律。

　　繪畫運用在空間中的形狀和顏色。

　　詩運用在時間中明確發生的聲音。

　　前者是自然的符號，後者是人為的符號，這就是詩和畫各自特有的規律的兩個源泉。

　　同時並列的模仿符號也只能表現同時並列的對象或同一對象中同時並列的不同部分，這類對象叫做物體。因此，物體及其感性特徵是繪畫所特有的對象。

　　先後承續的模仿符號也只能表現先後承續的對象或是同一對象的

先後承續的不同部分。這類對象一般就是動作（或情節）。因此，動作是詩所特有的對象。

　　不過一切物體不僅在空間中存在，而且也在時間中存在。物體持續著，在持續期中的每一頃刻中可以現出不同的樣子，處在不同的組合裏。每一個這樣頃刻的顯現和組合是前一頃刻的顯現和組合的後果，而且也能成為後一頃刻的顯現和組合的原因，因此彷彿成為一個動作的中心。因此，畫家也能模仿動作，不過只是通過物體來暗示動作。

　　就另一方面來說，動作不是獨立自在的，必須隸屬於某人某物。這些人和物既然都是物體，詩也就能描繪物體，不過只是通過動作來暗示物體。

　　繪畫在它的並列的佈局裏，只能運用動作中某一頃刻，所以它應該選擇孕育最豐富的那一頃刻，從這一頃刻可以最好地理解到後一頃刻和前一頃刻。

　　詩在它的先後承續的模仿裏，也只能運用物體的某一特徵，所以詩所選擇的那一種特徵應該能使人從詩所用的那個角度，看到那一物體的最生動的感性形象。

　　由此得出描繪性的形容詞須單一的規律，以及物體對象的描繪須簡練的規律。正是在這方面，荷馬顯出他的宏偉風格，而與此相反的錯誤則是多數近代詩人的弱點，他們想在必然要被畫家打敗的那一點上去和畫家爭勝。

　　詩人如果描繪一個對象而讓畫家能用畫筆去追隨他，他就拋棄了他那門藝術的特權，使它受到一種局限，在這種局限之內，詩就遠遠

落後於它的敵手。

　　既然形狀和顏色是自然的符號，而我們用來表達形狀和顏色的文字卻不是自然的符號，所以運用形狀和顏色的藝術比起只能滿足於運用文字的藝術，在效果上必然要遠較迅速生動。

　　運動通過文字來表達，比起顏色和形體通過文字來表達，會較為生動，所以詩人要想把物體對象寫得栩栩如在目前，他寧可通過運動而不通過顏色和形體。……（A.第一卷筆記）

　　（選自〔德〕萊辛，朱光潛譯《拉奧孔》，人民文學出版社 1981 年版）

編選說明 ● ● ●

　　萊辛（G‧E‧Lessing，1729-1781），德國啟蒙運動時期著名的思想家、文藝理論家和劇作家。《拉奧孔》的主題，正如扉頁所說，是「論畫與詩的界限」。當時德國文壇正流行著古典主義的詩畫一致說，萊辛認為詩畫有別，自云要「反對這種錯誤的趣味和這些沒有把握的論斷」。《拉奧孔》突出地、占大量篇幅地論述了詩畫有別，其次論述了詩畫的聯繫和相關美學範疇。它提出了一些美學的新見解，回答了許多重大的文藝和美學問題，是啟蒙時期美學思想的一座里程碑。

歌德

● ● ●

藝術家與大自然有著雙重關係

　　歌德叫人取出登載荷蘭大畫師們的作品複製件的畫冊……他把呂邦斯的一幅風景畫擺在我面前。

　　他說，「這幅畫你在這裏已經看過，但是傑作看了多次都還不夠，而且這次要注意的是一種奇特現象。請你告訴我，你看到了什麼？」

　　我說，「如果先從遠景看，最外層的背景是一片很明朗的天光，彷彿是太陽剛落的時候。在這最外層遠景裏還有一個村莊和一座市鎮，由夕陽照射著。畫的中部有一條路，路上有一群羊忙著走回村莊。畫的右方有幾堆乾草和一輛已裝滿乾草的大車。幾匹還未套上車的馬在附近吃草。稍遠一點，散佈在小樹叢中的有幾匹騾子帶著小騾子吃草，看來是要在那裏過夜。接近前景的有幾棵大樹。最後，在前景的左方有一些農夫在下工回家。」

　　歌德說，「對，這就是全部內容。但是要點還不在此。我們看到畫出的羊群、乾草車、馬和回家的農夫這一切對象，是從哪個方向受到光照的呢？」

　　我說，「光是從我們對面的方向照射來的，照到對象的陰影都投到畫中來了。在前景中那些回家的農夫特別受到很明亮的光照，這產生了很好的效果。」

　　歌德問，「但是呂邦斯用什麼辦法來產生這樣美的效果呢？」

　　我回答說，「他讓這些明亮的人物顯現在一種昏暗的地面（底色）上。」

　　歌德又問，「這種昏暗的地面是怎樣畫出來的呢？」

　　我說，「它是一種很濃的陰影，是從那一叢樹投到人物方面來的。呃，怎麼搞的？」我驚訝起來了。「人物把陰影投到畫這邊來，而那一叢樹又把陰影投到和看畫者對立的那邊去！這樣，我們就從兩個相反的方向受到光照，但這是違反自然的！」

　　歌德笑著回答說，「關鍵正在這裏啊！呂邦斯正是用這個辦法來證明他偉大，顯示出他本著自由精神站得比自然要高一層，按照他的更高的目的來處理自然。光從相反的兩個方向射來，這當然是牽強歪曲，你可以說，這是違反自然。不過儘管這是違反自然，我還是要說它高於自然，要說這是大畫師的大膽手筆，他用這種天才的方式向世人顯示：藝術並不完全服從自然界的必然之理，而是有它自己的規律。」

　　歌德接著說，「藝術家在個別細節上當然要忠實於自然，要恭順地摹仿自然，他畫一個動物，當然不能任意改變骨骼構造和筋絡的部位。如果任意改變，就會破壞那種動物的特性。這就無異於消滅自然。但是，在藝術創造的較高境界裏，一幅畫要真正是一幅畫，藝術家就可以揮灑自如，可以求助於虛構，呂邦斯在這幅風景畫裏用了從相反兩個方向來的光，就是如此。」

　　「藝術家對於自然有著雙重關係:他既是自然的主宰，又是自然的奴隸。他是自然的奴隸，因為他必須用人世間的材料來進行工作，才

能使人理解；同時他又是自然的主宰，因為他使這種人世間的材料服從他的較高的意旨（目的），並且為這較高的意旨服務。」

「藝術要通過一種完整體向世界說話。但這種完整體不是他在自然中所能找到的，而是他自己的心智的果實，或者說，是一種豐產的神聖的精神灌注生氣的結果。」

「我們如果只從表面看呂邦斯這幅風景畫，一切都會顯得很自然，彷彿是直接從自然臨摹來的。但事實並非如此。這樣美的一幅畫是在自然中看不到的，正如普尚或克勞德‧勞冉（法國風景畫家）的風景畫一樣，我們也覺得它很自然，但在現實世界裏卻找不出。」

（選自〔德〕愛克曼輯錄，朱光潛譯《歌德談話錄》，人民文學出版社 1978 年版）

編選說明 ● ● ●

約翰‧沃爾夫岡‧歌德（Johann Wolfgang von Goethe，1749-1832），德國著名詩人、文學家，對西方文化產生了深遠的影響。愛克曼輯錄的《歌德談話錄》記錄了歌德晚年有關文藝、美學、哲學、自然科學、政治、宗教以及一般文化的言論和活動。選文中，歌德從荷蘭著名畫家呂邦斯（Rubens，1577-1640）的風景畫談起，根據對呂邦斯一幅貌似違反自然光影特點的風景畫的分析指出，「藝術家對於自然有著雙重關係：他既是自然的主宰，又是自然的奴隸。他是自然的奴隸，因為他必須用人世間的材料來進行工作，才能使人理解；

同時他又是自然的主宰，因為他使這種人世間的材料服從他的較高的
意旨，並且為這較高的意旨服務」。

羅丹

在藝人的眼中，自然中的一切都是美的

　　有一天，在羅丹的默東工作室中，我看到一個泥塑，他的《醜之美》是取材於維庸的《美麗的老宮女》Belle Heaulmiére 一詩。

　　……

　　雕刻家的表現並不在詩人之下，他的作品，恐比維庸的詩更有力量。在皮膚緊附在瘦骨嶙峋的軀殼上，似乎全體的枯骨在震撼、戰慄、枯索下去。

　　在這幅粗獷而黯淡的幕後，映現著深切的悲痛。

　　夢想著永久的青春和美貌，醉心於無窮的幸福與愛情，眼見著這副枯骨衰敗零落下去，骸骨無存，雄心猶在，真是刻骨銘心之痛啊!

　　這便是羅丹所要傾吐的隱情。

　　實在，從沒有一個藝術家把衰老表現得如是殘酷，如此慘痛的。

　　……

　　我對著雕像默想了一會:

　　「吾師，」我向著羅丹說，「沒有人比我更能鑒賞你這件可驚的作品了。但你希望我不要追問這雕像在盧森堡所給予群眾的印象，尤其是婦女們的……」

　　「你這麼一說，我們非要知道不可了。」

　　羅丹莞爾而笑了。

「庸眾們以為他們在現實中認為醜的東西不是藝術的材料，他們想禁止我們表現自然中使他們不快的現象。」

「這是他們的大錯，自然中公認為醜的事物在藝術中可以成為至美。」

「在現實中，人們認為醜的東西，是變形的，破相的，不健全的，引起病的、孱弱的、痛苦的感覺的，不正則的，有反乎康健與有力的原則的；故駝背是醜的，跛足是醜的，衣衫襤褸是醜的。」

「還有不道德的人格是醜的，有害社會的罪人囚犯、亂臣賊子是醜的。」

「故凡是罪惡的或醜陋的——人——物，都應加上一個貶抑的頭銜。」

「但一個偉大的藝人文士，神筆一揮，立刻可以化醜為美，這是一種最神奇的煉金術。」

「因為藝術所認為美的，只是有特性的事物。」

「特性是任何自然景色中之最強烈的『真實性』：美的或醜的，也即所謂『兩重真』。因為外表的真，傳達內心的真。人類的面容臉色，舉止動作，及天空的色調，與天際的線條，都是表現心靈、情緒及思想的。」

「可是在藝人的眼中，一切都是露著特性，因為在他中正坦白的視察之下，一切隱秘，無從逃遁。」

「且在自然中被認為醜的事物，較之被認為美的事物，呈露著更多的特性。一個病態的緊張的面容，一個罪人的局促情態，或是破相，或是蒙垢的臉上，比著正則而健全的形相更容易顯露它內在的

真。」

「既然只有性格的力量能成就藝術之美，故我們常見愈是在自然中醜的東西，在藝術上愈是美。」

「藝術所認為醜的，只是絕無品格的事物，就是既無外表真，更無內心真的東西。」

「還有於藝術認為醜的：是假的，造作的，不求表情、只圖悅目的，強作輕佻，充為貴佟，作歡容而無中心之喜悅，裝腔作勢、故意眩人，或聳肩諂笑，或高視闊步，卻無真情，徒具外表。總之，一切欺誑，都是醜惡。」

「一個藝術家有意裝點自然，想使它更美的時候，春天則加些綠色，曙光則加些紫色，口唇則染些殷紅，那麼，其結果一定是醜惡的作品，因為他在作假。」

「他想把痛苦的情調消滅，想把老年的衰頹隱藏，為取悅庸眾計，想安排自然，使它變相，使它柔和，那麼，他一定創造出醜來，因為他懼怕真。」

「在一個名副其實的藝人面前，自然中的一切都是美的，因為他的眼睛能接受所有的外表的真，並能如在一本開展的畫卷中，讀到它所有的內在的真。」

「他只要一望人的臉孔，便可看到一個靈魂，沒有一種神情可以蒙蔽他，矯偽或真誠，他都看得一樣明白。蹙額、皺眉、凝神、悵惘，立刻使他覺察到整個心靈的秘密。」

「他探到動物的隱秘的心靈，他觸著各種情感的萌動，幽默的智慧，與柔情的滋長，他在獸類的矚視與動作中，體驗到它們微賤的生

命。」

「他對於自然界也是同樣的親切，花草樹木可如知友一般和他談心。」

「蟠根虬結的橡樹，訴述它對幹濃蔭庇翼下的人類的好惡與友情。」

「群花媚人地舞動著枝幹，瓣葉飄搖，如在歡唱，每根草心每個花蕊，於他都是傳達自然的熱情的言語。」

「為他——藝術家——生命是無窮的享樂，是永恆的喜悅，是醉人的沉醪。」

「並非他覺得一切都是善的，因為他自己與他所愛者所受的痛苦，常在殘酷的震撼這樂天主義。」

「然而他覺得一切都是美的，因為他永遠踏在光明的路上，迎著真前進。」

「是的，就是痛苦，就是所愛者的死亡，甚至朋友的欺誑，偉大的藝人——其中包括著一切詩人、畫家或雕刻家——對著這酸辛的悲劇，也是感到無限的驚訝、歎賞。」

「他也有柔腸百轉、心肝寸裂的時光，然而他於苦惱之外，卻更感到『澈悟』與『表白』的苦中之樂。他在見聞的經歷中，明白的懂得運命之推移。他用著猜測運命的熱烈的眼光，凝視著他自己的苦悶與哀傷。例如他為朋友所賣，他始而惶惑，繼而確信，終於把這件罪惡看作卑鄙的一例，使他的人生經驗更加豐富的教訓。他的惆悵，他的苦悶，有時是驚心動魄的，然而他到底還感到幸福，因為他永遠追逐著崇拜著真理。」

「他看到生靈殘殺，少年夭亡，天才凋謝，執行著這些黯淡的律令的意志，面對著他的時候，他發現自己抓住了真理，悟透了真理：他得到了意想不到的慰安。」

（選自〔法〕羅丹述、葛賽爾著，傅雷譯《羅丹藝術論》，中國社會科學出版社 2001 年版）

編選説明 ●●●

奧古斯特·羅丹（Auguste Rodin，1840-1917），19 世紀和 20 世紀初最偉大的現實主義雕塑藝術家。《羅丹藝術論》是近代西方藝術界頗有影響的一本著作，成書於羅丹晚年，是由羅丹口述、葛賽爾記錄的一本藝術著作，比較集中扼要地表達了羅丹的藝術思想。其中有羅丹對於藝術創作一般性問題的美學觀點，也有對於雕塑藝術規律性的經驗之談，有對歷史上美術家的評述，也有對於當時美術創作的卓見，有沉思的刻痕，也有點滴的自省，內容豐富，涉及面廣。全書以對話方式娓娓寫來，文筆清新流暢。本篇關於藝術化醜為美的思想是非常著名的。

康定斯基

音樂與繪畫

　　同一道路上不同的出發點就是不同的藝術，它們可以暢所欲言，使用屬於它們自己的語言。儘管，或者不如說幸虧它們之間有了不同點，各個藝術從來沒有一個時候像今天——精神運動的最新階段——這樣相互接近。

　　向抽象和非物質努力的種子幾乎存在於每一種具體表現形式裏。它們有意或無意地服從蘇格拉底的思想——瞭解你自己。藝術家們有意或無意地研究和檢驗他們的材料，穩固地確立這些因素的精神價值，而利用這些因素進行工作，則正是他們各自的特權。

　　這種努力的必然結果是不同藝術被拉在了一起。它們在音樂裏尋找最好的老師。音樂在數世紀裏，都是一門以音響的方式表現藝術家心靈而不是複製自然現象的藝術，這幾乎是無例外的。

　　一個畫家如果不滿意於再現（不管是否有藝術性），而渴望表達內心生活的話，他不會不羨慕在今天的藝術裏最無物質性的音樂在完成其目的時所具有的輕鬆感。他自然要將音樂的方法用於自己的藝術。結果便產生了對繪畫的韻律、數學的與抽象的結構、色彩的複調，使色彩運動的現代願望。

　　這種一門藝術向另一門藝術的方法上的借用，只有在所借用的方法不是膚淺地而是本質地被運用時才能獲得真正的成功。一門藝術必

須首先學習其它藝術是怎樣運用自己的方法的，這樣才能從一開始就適當地將這些方法運用於自身。藝術家不能忘記他內心所潛藏的對每一種方法予以正確運用的力量，但是這種力量必須得到發展。

在形式的處理上，音樂能夠得到繪畫不可企及的效果。另一方面，繪畫的許多特點又是音樂不能比擬的。例如，音樂能夠支配時間的延續，而繪畫能一次向觀眾呈現作品的整個意旨。音樂儘管在客觀上不能脫離自然，但它的表達不需要任何可作明確解釋的形式。繪畫在今天幾乎完全涉及自然形式和現象的複製。現在，它的任務是試驗它的力量和方法，像音樂長期以來所做的那樣去瞭解自己，然後將它的力量用於一個真正富有藝術性的目的。

各個藝術就是這樣在相互滲透，這種滲透只要利用恰當，就可以產生真正不朽的藝術。舉凡讓自己沉浸在藝術的精神可能性之中的人，就是有價值的人，他能協助建立在某一天將升到天堂的精神金字塔。照一般的說法，色彩有一種直接影響心靈的力量。色彩宛如琴鍵，眼睛好比音錘，心靈有如繃著許多根弦的鋼琴。藝術家是彈琴的手，只要接觸一個個琴鍵，就會引起心靈的顫動。

由此可見，色彩的和諧必須依賴於與人的心靈相應的振動，這是內心需要的指導原則之一。

音樂與繪畫之間存在著一種深刻的關係。歌德說，繪畫必須將這種關係視為它的根本，從這一評述可以看出，他似乎預示了繪畫在今天所處的位置。事實上，繪畫站在前進隊伍的前列，根據它各方面的條件，它將使藝術成為一種思想的抽象體現，最終達到純藝術構圖。

（選自〔俄〕康定斯基，呂澎譯《論藝術裏的精神》，四川美術出版

社 1986 年版）

編選說明 ● ● ●

　　瓦西里·康定斯基（Vassily Kandinsky，1866-1944），現代抽象藝術在理論和實踐上的奠基人。代表性著作《論藝術裏的精神》對非具象藝術作了系統而深入的探討，產生了一場在今天看來也仍然不能否認的革命：「現代藝術所賴以發展的新原則因此而得到了廣泛的傳播，為世人所逐漸接受，在這方面的作用是其它任何著作都無可比擬的。」（多佛版序言）該著的出版，對現代藝術的發展起過非常重要的作用，奠定了康定斯基成為現代藝術和藝術理論創始人的地位。本篇所論，主張繪畫向音樂尋找老師，追求畫面的音樂感受力。康定斯基也是第一個真正將音樂展現在畫布上的畫家，代表作《白色的線》《樂曲》《即興曲》《構圖 2 號》等，巧妙地借助抽象的形狀和別具特色的色彩形成一個各部分貫穿的整體，實踐了畫「音符」和聽「色彩」的創舉。他的繪畫是純視覺音樂的，西方現代美術史家稱他為「本世紀真正的偉人之一」。

馬蒂斯

繪畫是一種表現

　　首先，我所追求的就是表現。有時人們承認我有一定的技巧，不過同時我的雄心壯志也受到了限制，使我不能超越純粹視覺上的滿足，這就像看一幅畫時會獲得的滿足一樣。可是，不應當認為一位畫家的思想是與其繪畫的手段相分離的，因為思想與手段對它的表現是相匹配的，這種手段應當更完善（而我指的完善並不是複雜），從而思想也更深刻。我無法把自己對生活的感受同我傳達它的方式區分開來。

　　我覺得，人物面部流露出的激情中並不存在著表現，表現也不是通過激烈的動勢來表達的。我的繪畫作品的全部安排都是具有表現力的：形象佔據的位置，形象周圍空白的空間，比例關係，每樣東西都有它的價值。構圖就是畫家為了表現自己的感情有意識地使種種不同的因素依照裝飾的方式安排在一起的藝術。在一幅繪畫作品中，每一部分都是清楚易見的，不論它是主要的部分，還是次要的部分，都將發揮它特定的作用。因而，畫面上一切無用的東西都是有害的東西。一件藝術品應該在整體上和諧一致：任何多餘的細節，都會影響觀眾心靈對主要的部分的領會。

　　構圖的目的就是為了表現，構圖要依據它利用的畫幅大小進行調整。假如我拿一張尺寸固定的紙，我的素描就要適合這紙張的幅面，

我不會在另一張不同比例的紙張重複這個素描，比如，在代替正方形的長方形紙張上重複。如果我必須把這素描移入同樣比例的十倍大的紙上，我不會僅僅滿足於把它放大。一幅素描必須具有一種能使它周圍的事物富於生機的擴展力。一位藝術家想把一幅構圖從一塊畫布移入另一塊更大的畫布之中時，為了保留它的表現力，必須重新構想它；他應當改變它的特徵而不僅僅是把它轉移到更大的畫布上。

我最感興趣的既不是靜物，也不是風景，而是人物，正是通過人物，我得以最好地表現自己對生活懷抱的那種宗教徒般的敬畏之情。我不堅持刻畫臉部的所有細節，我不會用解剖學上的準確性去逐一地描繪它們。如果有一個意大利模特兒，初看之下，只讓人想到一種純動物式的存在，不過我還是發現了他本質的特點，在他臉部的線條中，我察覺到了留存在每個人身上的、使人覺得是深沉的莊重的那些東西。一件藝術品一定要具有本身的全部意味，哪怕觀者還沒有察明它的題材，就已把它的意味放在他們心上了。我在帕杜亞看喬托的壁畫時，我毫不費力就瞭解在我面前的是基督生平中的哪個場面，而且我立刻就明白了它流露的感情，因為它體現在線條、構圖，色彩之中。標題不過是起了證實我印象的作用罷了。

我夢寐以求的就是一種協調、純粹而又寧靜的藝術，它避開了令人煩惱和沮喪的題材，它是一種為每位腦力勞動者的藝術，一種既為商人也為文人的藝術。舉例來說，它就像一個舒適的安樂椅那樣，對心靈起著一種撫慰的作用，使疲憊的身體得到休息。

最單純的手段就是那些能最好地使藝術家表現自我的手段。如果藝術家害怕陳規俗套，那麼通過顯得奇特、或是選擇古怪的素描和怪

異的色彩，他是無法避免陳規俗套的。藝術家的表現手段應當完全是從他的氣質中產生的。他必須具有一種謙遜的精神，相信自己所畫的僅僅是他所看到的東西。

（選自〔法〕傑克・德・弗拉姆編著，歐陽英譯《馬蒂斯論藝術》，

河南美術出版社 1987 年版）

編選説明 ● ● ●

亨利・馬蒂斯（Henri Matisse，1869-1954），法國著名畫家、雕塑家、版畫家，野獸派的創始人和領袖。以使用鮮明、大膽的色彩而著名，與畢卡索是 20 世紀最重要的兩位畫家。《馬蒂斯論藝術》精選了馬蒂斯一生不同階段的各類理論著作，它們充分體現出這位藝術大師的藝術觀，是西方現代主義藝術理論的重要文獻，為我們深入瞭解和研究西方現代主義藝術提供了寶貴的資料，堪稱一切藝術工作者和藝術愛好者必讀的經典。書中選取的《畫家筆記》《論藝術》《論色彩》等多篇論文，是馬蒂斯繪畫實踐的結晶，從不同側面闡明了畫家獨到的創作思想和鮮明的美學觀點。本篇節選自《畫家筆記》一章，其中的觀點是馬蒂斯全部藝術理論中的基本觀點，即他自己申明的目標—「表現」，這種表現同畫家的繪畫手段不可分割地聯繫在一起。

奈爾維

建築是一個技術與藝術的綜合體

　　當今，建築的方法和建築的風格都在發生著革命性的、勢不可擋的變化。探索建築技術和建築藝術之間是否存在某種聯繫，這是頗有意義的。而且，倘若這種聯繫的確是存在的話，那麼，又是否可以將這種關係表達出來呢？

　　顯然，建築現象具有兩重意義——一方面，是由服從於客觀要求的物理結構所構成；另一方面，又具有旨在產生某種主觀性質的感情的美學意義——建築現象的這種兩重性使建築處於一個完全不同於其它藝術的領域。因為在其它藝術中，制約藝術創作的技術手段都不會像建築一樣具有如此決定性的意義。在這方面，只需注意到人們在建築討論中所使用的語彙便足可證明：建築討論涉及力學的、技術的、功能的、經濟的等等因素。建築在很大程度上是由與設計者個性無關的法則所確定，這些法則十分繁雜，以致其中某些部分就足以構成一整套的大學科目。

　　遺憾的是，過去的、乃至於現今的建築評論卻幾乎是無一例外地只立足於美學的或形式主義的觀點，而很少從技術方面予以評價和理解。即使是最好的建築雜誌在發表已經完成的建築作品或者設計方案時，都很少考察其結構，或者試圖闡明其中形式與實物之間的關係。某些在美學上予以描述和分析的設計方案也許無法建造出來，這種現

象並不罕見。一個不能成為現實的建築構思又有什麼價值呢？在我看來，建築課程中在建築評論和建築技術之間缺乏緊密的聯繫，這是特別有損於對未來建築師的培養的。後面我將要回述這一論題。

幾年來，我曾想從兩個角度來研究古代和現代的建築作品：一是按建築專業工作者對建築方法的種種問題能夠理解、評價和鑒賞的觀點；一是以一個非技術人員的角度來看建築——只考慮建築的藝術方面，並以觀賞一件藝術品的自由精神來尋求建築美的感受。

這種雙重的研究使我得出結論認為：一個技術上完善的作品，有可能在藝術上效果甚差，但是，無論是古代還是現代，卻沒有一個從美學觀點上公認的傑作而在技術上卻不是一個優秀的作品的。看來，良好的技術對於良好的建築說來，雖不是充分的，但卻是一個必要的條件。

要說明這一觀點，我們應該研究一下，在人類所發展起來的大量的建築技術中，是否存在若干可以確認為建築技術的規律。

所謂建築，就是利用固體材料來造出一個空間，以適用於特定的功能要求和遮避外界風雨。一個結構物，不論其大小，都必須堅固和耐久，並滿足這一建築物的功能要求，同時還必須以最少的代價獲得最大的效果。

堅固、耐久、功能以及用最少的代價獲得最大的效果——或用現代術語來說，即經濟效率——這些條件在從小小泥屋到大廈的所有建築中都能在一定程度上找到。這些條件可以概括地稱為「正確地建造」，我認為，這比專業化的「良好的技術結構」一語更為合適。顯而易見，所有這些特點，初看起來似乎僅僅只是技術性的和客觀的，

但也各有一個主觀的——我想加上心理的——成分，這一與之相關的成分賦予一個完整的建築作品以富有表現力的藝術外觀。

以觀察者一目了然的結構或者以技術技巧設計而並不外露的結構，都可以穩定地承受荷載和外力。顯然，每種手段產生不同的心理反應，這種反應是影響建築表現效果的。倘若某處的牆體和屋蓋給人以接近於坍塌的視覺印象，則即使實際上存在著不外露的結構構件使其充分安全，也不會有人從中得到平穩的美感。同樣，在某些情況下，表面上的不穩定性又可能創造出一種特殊的美感——雖說這是一種「反建築」的表現。

這樣，我們可以看到，即使是最帶技術性的、最基本的結構性質——穩定性——通過應用各種建築方法得以保障的穩定性，也是大大有助於取得確定的、理想的建築藝術效果的。

另一個強烈影響藝術表現效果的技術因素是對材料的選擇和運用。石牆和磚牆的效果明顯不同。而裝修上因不同材料的特殊技術要求所確定的某些特點，也在相當程度上影響到建築作品的外觀和效果。

每當我去參觀一所哥特教堂的時候，我總是無法將對空間的宏偉感覺與發現其建造的高度完善而得到的欣喜之心分割開來，這種完善表明修建教堂時對建造技術的真誠熱愛，它使即使是簡單的石牆也富於建築表現力。我們都感觸過最常用的材料，對其物理性質也有下意識的鑒賞，因此，當看到這些材料按其天然性質得以正確地運用時，就影響到建築作品所產生的總體印象。

我們也必須認識到，合適地選用材料和採取必要的結構維護，乃

是取得耐用持久的首要條件。

在建築的經濟和藝術形式之間的關係就比較難於確定，不過我認為，其間關係的存在是有目共睹的。

一個有功能意義的結構物及其經濟效率（迥異於簡單的「經濟」一詞）取決於合適的尺寸比例及其空間關係，還有與建築物的使用目的相關的裝飾的繁簡、材料的高下。誇張尺度和堆砌裝飾只會導致庸俗，在任何情況下，都只會有損於作為優秀建築基礎的整體均衡感。試看世界各城市的大量現代建築，常常使人們歸結出這樣的看法：若是少施裝飾或者少用奢華的材料，所得建築效果反而更佳。

因此，我們可以說，注重技術和經濟效果，構成了「正確」的基礎，我想再加上建築的倫理。不注重這些方面，是不可能取得有效的建築形式的。長期以來，我對於建築中技術與藝術之間或顯或隱的關係曾經饒有興致，而為了準備這些講演，使我有機會把多年來對這兩者關係的所見和所思都收集在一起。

我的這些所見表明了：無論何時何地，一個建築物的普遍規律，它所必須滿足的功能要求、建築技術、建築結構和決定建築細部的藝術處理，所有這一切，都構成一個統一的整體。只有對複雜的建築問題持膚淺的觀點，才會把這個整體分割為互相分離的技術方面和藝術方面。建築是，而且必須是一個技術與藝術的綜合體，而並非是技術加藝術。建築師主要的和真正的職責，是把各種不同因素都表現出來，並且協調各種專業，共同建成現代化的建築。為了能夠進行這種高度創造性的活動，同時又能在各種專業人員的不同要求之間進行必要的調解，建築師不必對一切細節都具有專門知識，但他對建築工業

的每一部門都應該具有清晰的一般概念，這正如同一個優秀的交響樂隊指揮一樣，他必須懂得每一樂器的可能性和局限性。

（選自〔意〕P.L.奈爾維，黃運升譯《建築的藝術與技術》，中國建築工業出版社 1981 年版）

編選説明 ●●●

　　皮埃爾·魯基·奈爾維（Pier Luigi Nervi，1891-1979），意大利近代著名的結構工程師和建築師。從 1954-1973 年這 20 年間，他先後獲得了國內外 12 個建築師協會和藝術學院授予的會員或名譽會員稱號，並 8 次獲獎。一位工程師在國際建築界如此轟動，是相當少見的。奈爾維之所以取得如此輝煌的成就，其主要原因之一，是他有效地將嚴謹的結構邏輯語言和生動的建築形象語言結合起來，使所創作的建築作品達到了內容與形式的統一、結構與形體的統一、技術與藝術的統一。他是現代幾位元使結構和施工發生變革、創造了新空間形象的前驅者之一，被稱作「鋼筋混凝詩人」，在建築創作和建築理論上對國際建築界影響深遠。

波洛克

●●●

我怎樣繪畫

　　我的畫不是來自畫架。在作畫時我幾乎從不平展畫布。我更喜歡把沒有繃緊的畫布掛在粗糙的牆上，或放在地板上。我需要粗糙的表面所產生的摩擦力。在地板上我覺得更自然些。我覺得更接近，更能成為繪畫的一部分，因為這種方法使我可以繞著走，從四周工作，直接進入繪畫之中。這和西部印第安人創作砂畫的方法相似。

　　我進而放棄畫家們通常用的工具，像架、調色板、畫筆等等。我更喜歡用短棒、修平刀、小刀以及滴淌的顏料或攪和著沙子的厚重塗料、碎玻璃和其它繪畫無關的東西。

　　一旦我進入繪畫，我意識不到我在畫什麼。只有在完成以後，我才明白我做了什麼。我不擔心產生變化、毀壞形象等等。因為繪畫有其自身的生命。我試圖讓它自然呈現。只有當我和繪畫分離時，結果才會很混亂。相反，一切都會變得很協調，輕鬆地塗抹、刮掉，繪畫就這樣自然地誕生了。

（選自〔美〕埃倫‧H‧詹森編，姚宏翔、泓飛譯《當代美國藝術家論藝術》，上海人民美術出版社 1992 年版）

編選説明 ● ● ●

　　傑克遜‧波洛克（Jackson Pollock，1912-1956），美國著名畫家，抽象表現主義（又名行動繪畫）最具代表性的人物。他的文章《我怎樣繪畫》（1947）是抽象表現主義的重要文獻，其藝術主張值得重視的有三點：一是把現代藝術的反傳統推進到作畫方式和工具材料，從而使架上繪畫的方式發生了變化；二是強調作畫過程和觀賞現代藝術時的無意識，認為無意識是藝術的源泉；三是認為現代藝術要表現現代人的所思所想，新的藝術需要新的技藝。每個時代都有自己獨特的技藝。

貝聿銘

●●●●

建築是「供人享用的」

　　建築師有兩種，一種是做實際工作的，一種是寫書的。這兩種工作都很重要。有人說現代建築死亡了，我不這麼看。目前的許多建築流派，實際上是在現代建築的基礎上發展起來的，是在現代建築這棵大樹上發芽抽枝的。各種流派也會像大樹上的樹枝一樣：有的粗，有的細；有的繁茂，有的枯萎。某些流派，會像美國報紙上的廣告一樣，一個時期很時興，過後又銷聲匿跡了。有人說現代建築已經沒有路可走了，這個意見我也不能同意。我想他們這樣說是因為他們懶惰。

　　我自己認為我是第二代建築師。建築設計說起來也簡單，我認為有三個要點最值得重視。第一是建築和環境的結合（context），其次是體形和空間（form and space），第三是注意建築為人所用，為使用者著想。我和第一代建築師不同的地方在於：一、第一代建築師的空間是死板的，如米斯，我雖受他的影響，但我認為他的空間老是那一套，而現在的空間豐富多了。二、與社會結合和與環境結合，第一代建築師是不很注意的。三、第一代建築師認為建築是住人的機器，而我認為建築是人用的，空間、廣場是人進去的，是供人享用的。要關心人，要為使用者著想。而這一切第一代建築師是不管的。路易士‧康的住宅沒有考慮人的使用，結果失敗了。

（選自〔美〕貝聿銘《談談建築創作》，載《建築師》第 1 期 1979 年
8 月版）

編選說明 ●●●

　　貝聿銘（Leoh Ming Pei，1917-），美籍華人，世界著名建築設計
大師。與法國華人畫家趙無極、美籍華人作曲家周文中被譽為海外華
人的「藝術三寶」。貝聿銘不僅是傑出的建築科學家，「用筆和尺」
建造了許多華麗的宮殿，他更是極其理想化的建築藝術家，善於把古
代傳統的建築藝術和現代最新技術熔於一爐，從而創造出自己獨特的
風格。貝聿銘自己說：「建築和藝術雖然有所不同，但實質上是一致
的，我的目標是尋求二者的和諧統一。」

孫過庭

● ● ●

書譜

原文 ● ● ●

　　夫質以代興，妍因俗易。雖書契[1] 之作，適以記言；而淳醨[2] 一遷，質文三變[3]，馳鶩[4] 沿革，物理常然。貴能古不乖[5] 時，今不同弊，所謂「文質彬彬，然後君子[6]」。何必易雕宮[7] 於穴處[8]，反玉輅[9] 於椎輪[10] 者乎！

　　……

　　雖篆、隸、草、章，工用多變；濟成厥美，各有攸宜[11]：篆尚婉而通，隸欲精而密，草貴流而暢，章務檢而便[12]。

　　然後凜之以風神，溫之以妍潤，鼓之以枯勁，和之以閒雅。故可達其情性，形其哀樂。驗燥濕之殊節，千古依然；體老壯之異時，百齡俄頃[13]。嗟呼，不入其門，詎窺其奧者也！

　　又一時而書，有乖有合，合則流媚，乖則雕疏[14]。略言其由，各有其五：神怡[15] 務閒，一合也；感惠徇知，二合也；時和氣潤，三合也；紙墨相發，四合也；偶然欲書，五合也。心遽體留，一乖也；意違勢屈，二乖也；風燥日炎，三乖也；紙墨不稱，四乖也；情怠手闌，五乖也。乖合之際，優劣互差。得時不如得器，得器不如得志。若五乖同萃，思遏手蒙；五合交臻，神融筆暢。暢無不適，蒙無所

從。當仁者得意忘言，罕陳其要；企學者希風敘妙[16]，雖述猶疏。徒立其工，未敷厥旨。不揆庸昧，輒效所明，庶欲弘既往之風規，導將來之器識[17]，除繁去濫，睹跡明心者焉。

（選自馬國權《書譜譯注》，上海書畫出版社 1980 年版）

注釋 ●●●

〔1〕書契：猶言文字。書，寫。契，刻。〔2〕淳醨：淳，與醇通。酒味厚者為醇。薄者為醨。這裏是用作書法醇厚和浮薄的比喻。〔3〕質文三變：夏尚忠，商尚質，周尚文。由忠而質，由質而文，謂之質文三變。此處是指書法由質樸到華妍，代有不同。〔4〕馳騖：猶言奔走。〔5〕乖：乖戾，違背、相反。〔6〕文質彬彬，然後君子：見《論語‧雍也》。這裏指質樸與妍美融為一體，才是佳書。〔7〕雕宮：裝飾美麗的宮室。雕，雕飾。〔8〕穴處：穴居野處。〔9〕玉輅：鑲玉的大車。輅，即車。〔10〕椎輪，無輻條的車輪。此指古代最簡陋的車。〔11〕各有攸宜：各有所宜。攸：所。宜：適合、適當。〔12〕章務檢而便：章草著意於約斂而簡捷。檢，借作斂，是約束的意思，指用筆嚴謹有法。便：簡捷，指結構的省便。〔13〕俄頃：不久。〔14〕雕疏：零落粗疏。雕借作凋，衰落的意思。〔15〕神怡：怡，一釋恬。〔16〕希風敘妙：嚮慕風尚，陳述奧妙。希，嚮慕。敘，陳述，這裏指領教。〔17〕器識：指人的器局、識見。

編選説明 ●●●

　　孫過庭（生卒年不詳），字虔禮，唐代著名書法家、書法藝術理論家。公元 687 年撰成書學論著《書譜》，且以草書真跡行世，筆法流動，峻拔剛斷，自來推為能品。原書共兩卷六篇，現雖僅存卷上，但已能看到孫過庭在書法上的主張。其內容大致涉及書法源流、書體特點、書品標準、學書經驗以及流派利弊等方面，由於孫過庭本人精於書法，所以他的這些論述頗能探幽發微，被認為是博雅能文，妙盡其趣，可說是唐以前書法理論的集大成。因此，《書譜》不僅是中國書法史上草書的曠世精品，更是中國書法理論史上劃時代的經典論著，可謂「書、文雙絕」。本篇所選，講的是書法的進化理論、書法的情性和著名的「五乖五合」之論，作者立論之精粹、行文之清晰由此可見一斑。

郭熙

山水畫要旨

　　君子之所以愛夫山水者，其旨[1] 安在？丘園，養素[2] 所常處也；泉石，嘯傲所常樂也；漁樵，隱逸所常適也；猿鶴，飛鳴所常親也。塵囂韁鎖，此人情所常厭也。煙霞仙聖，此人情所常願而不得見也。直[3] 以太平盛日，君親[4] 之心兩隆[5]，苟潔一身出處[6]，節義斯係，豈仁人高蹈遠引，為離世絕俗之行，而必與箕穎[7] 埒[8] 素、黃綺[9] 同芳哉！《白駒》[10] 之詩，《紫芝》之詠，皆不得已而長往者也。然則林泉之志，煙霞之侶，夢寐在焉，耳目斷絕，今得妙手鬱然出之，不下堂筵，坐窮泉壑，猿聲鳥啼依約在耳，山光水色滉漾奪目，此豈不快人意，實獲我心哉，此世之所以貴夫畫山之本意也。不此之主而輕心臨之，豈不蕪雜神觀，溷[11] 濁清風也哉！畫山水有體[12]，鋪舒為宏圖而無餘，消縮為小景而不少。看山水亦有體，以林泉之心臨之則價高，以驕侈之目臨之則價低。

　　山水，大物也。人之看者，須遠而觀之，方見得一障山川之形勢氣象。若士女人物，小小之筆，即掌中幾[13] 上，一展便見，一覽便盡，此皆畫之法也。

　　世之篤論[14]，謂山水有可行者，有可望者，有可遊者，有可居者。畫凡至此，皆入妙品[15]。但可行可望不如可居可遊之為得，何者？觀今山川，地占數百里，可游可居之處十無三四，而必取可居可

遊之品。君子之所以渴慕林泉者，正謂此佳處故也。故畫者當以此意造，而鑒者又當以此意窮之，此之謂不失其本意。

注釋 ●●●

[1] 旨：旨趣。[2] 養素：調養素樸的心境。[3] 直：僅僅。[4] 君親：君主、父母。[5] 隆：深厚。[6] 出處：出，出仕；處：居家。[7] 箕穎：晉人《高士傳·許由》中說「（許）由於是遁而耕於中嶽，穎水之陽，箕山之下」。後以「箕穎」代指隱士或其隱居之所。[8] 埒：音「列」，相當。[9] 黃綺：指漢初「商山四皓」中的夏黃公、綺里季，代指隱士。[10]《白駒》：《詩經·小雅》中的篇名，刺宣王不能留賢之作；下文的《紫芝》，指「商山四皓」之《採芝操》詩。[11] 溷：音「混」，渾濁。[12] 體：法式、規矩。[13] 幾：矮小的桌子。[14] 篤論：確當的評論。[15] 妙品：古代對書畫作品的品評次第。

（選自〔宋〕郭熙、郭思，熊去庭等譯注《林泉高致·山水訓》，載《宋人畫論》，湖南美術出版社 2000 年版）

編選說明 ●●●

郭熙（約 1020-1100 年），字淳夫，宋代著名山水畫家，深得宋神宗恩寵，「評為天下第一」；郭思，郭熙之子，字得之，宋神宗元豐五年（1082 年）進士。《林泉高致》是郭思根據郭熙的遺文整理而

成，為中國繪畫理論史上一部名著，特別是其中的《山水訓》等篇，歷來受到重視。文中首先分析了山水畫廣受士大夫喜愛的原因，是因為山水畫作為真實山水的替代物，使士大夫能夠「不下堂筵，坐窮泉壑」；接著作者闡述了山水畫家和山水畫鑒賞者應該如何正確對待山水畫，無論是創作還是欣賞山水畫，都需要有「林泉之心」；而能夠稱之為「妙品」的山水畫應該表現「可行」、「可望」、「可游」、「可居」的山水。在這幾種境界之中，又以表現「可游」、「可居」的山水畫更能得到山水畫的真諦，因為，人們之所以嚮往山水林泉，正是希望進入這種境界。

朱琰

陶說（節選）

原文 ●●●

　　圓器之造，每一款識，動經千百。不有模範[1]，斷難畫一。其模子必須與原樣相似，但尺寸不能計算。生（美術本脫此字）坯，泥松性浮，經火則松者緊，浮者實。一尺之坯，止七八寸，伸縮之理然也。欲求立坯之準，必先模子，故模匠不曰造，而曰定。一器非修數次，尺寸款識，出器時定不能吻合。必熟諳火候泥性，方能計算加減，以定模範。此匠一鎮推名手者，不過三兩人。

　　……

　　〔按〕《事物紺珠》[2] 云：窯器方為難。方何以難也？出火後，多傾欹坼裂之患[3]，無疵者尠。造坯之始，當角者廉之，當折者挫之，當合者彌縫之。隱曲之處，慮其不和，上下前後左右，慮其不均，故曰方為難。若圓器渾成，故由手法之準，而車已當人力之大半，不如方棱之全資乎人巧也。

　　〔按〕畫器調色，與畫家不同。器上諸色，必出火而後定。配合調劑，前人有經驗之方，毫釐不得差。又須極細極勻，則色透骨而露彩。古瓷五彩，成窯[4] 為最，其點染生動，有出于丹青家[5] 之上者。畫手固高，畫料亦精。今增洋彩[6] 一種，絢[7] 豔奪目，而於象生及倣

古銅器、紫檀、雕竹、螺甸各種，惟妙惟肖，畫料得法之明效可驗也。

（選自傅振倫《〈陶說〉譯注》，中國輕工業出版社 1984 年版）

注釋 ● ● ●

〔1〕模範：即範，鑄造器物的模子。〔2〕《事物紺珠》：四十一卷，明黃一正以為宋人高承《事物紀原》雖記述廣博，但不全可信，因撰此書，刊於萬曆十九年（公元 1591 年）。惜不注出處，又有疏舛。張燕公有「紺珠」，見之能記事不忘，傳說宋朱勝非有《紺珠集》，似皆此書名之所本。〔3〕欹（qī），應作敧，是歪的意思。坼（chè）：裂開。〔4〕成窯：明代成化朝燒造的官窯器。一般用某朝年號第一字簡稱某窯。〔5〕丹青家：指畫家。〔6〕洋彩：仿西洋彩瓷器。〔7〕絢：有文采的。

編選説明 ● ● ●

朱琰（生卒年不詳），字桐川，別號笠亭，清代文學家、古文字學家、詩人、藝術家。著作豐富。《陶說》共六卷：卷一「説今篇」，敘述清朝饒州窯即景德鎮窯和生產過程；卷二「説古篇」，敘述窯器起源，並敘述了唐朝至元朝的名窯及其產品；卷三「説明篇」，敘述明代歷朝官窯器和生產技術；卷四至卷六敘述唐虞以至明朝各時期的

窯器。作者詳盡地說明陶瓷製造的源流和名物制度，但並不以博取勝，也不偏重徵文考獻，而側重於實用。他絲毫不流連往古，而著重近代和當代。《陶說》全面系統地介紹了景德鎮陶瓷工藝的生產過程和製作要求，是中國第一部著名的陶瓷史。

陳師曾

文人畫的價值

甚麼叫做文人畫？就是畫裏面帶有文人的性質，含有文人的趣味。不專在畫裏面考究藝術上的工夫，必定是畫之外有許多的文人的思想。看了這一幅畫，必定使人有無窮的感想，這作畫的人必定是文人無疑了。有人說文人去作畫，豈不是外行？把外行的人去畫，這畫裏面的趣味埋沒了，怎麼叫做好畫呢？要曉得畫這樣東西，是性靈的，是思想的，是活動的，不是器械的，不是單純的要發表作者的性靈和思想。自然有一種文人，也要在畫裏面發表他的性靈和思想，帶著他自己的本質。有人又說作畫不在畫裏面考究，卻又節外生枝，把別的東西放進去，明明是畫裏的工夫不毄，卻把別樣東西來遮掩打諢，以畫而論，卻沒有價值了！

文人的畫卻不免有這種弊病，以畫而論，卻不能十分考究，也有失卻規矩的，也有形體不能正確的，卻是要拿別一種意思去看他。自有一種文人的趣味、文人的思想，別人學不到的；況且文人畫不是都不講究規矩的。這文人不是一種奇怪的人，他雖不作畫，他的思想和趣味常常與畫有關係的。文人做的事是甚麼事呢？無非文辭詩賦那些事。請問這文辭詩賦裏面所講的是甚麼東西呢？無非是山水、草木、禽魚等等這些材料，他所感觸的，又無非人情世故古往今來的變遷。他這些感想，他這些材料，是不是與畫家一樣的呢？既然是與畫家一

樣的，那麼他不畫就罷。他若要畫，他就把這些材料、這些感想都放到畫裏面去，這就把這一幅畫代替他的文辭詩賦了。但說文人的思想感觸，不寄在文辭詩賦裏面，卻要把他寄在畫裏面，就把眼前的山水、草木、禽獸做他的一種寄託的材料，這材料就隨便他信手拈來，只要敷發表他的思想和感觸罷了。這材料雖有正確不正確的，卻是他的思想和感觸，借這材料發表的時候，自然叫別人看畫，體會得來。還有一層，不是凡文人都能作畫，也不是凡文人都能看畫，總要在畫裏面有探討，有習慣的觀念的，才能敷看得出來。

　　現在有一幅文人的畫，隨便叫一個人去看，叫他說出怎麼樣好，卻說不出。他說得出的，那裏一個橋，那裏一棵樹，那一條路是通到橋那邊去的，或是這個雞抬著頭，那個竹竿有許多葉子，生著枝上，不過這樣說說罷了，至於是甚麼家數、甚麼來源、甚麼筆法，卻不能講得出。要曉得文人的畫不是行家畫，卻也不是全然外行，這裏面有消息，很難參透的。

　　東坡的詩說的「論畫以形似，見與兒童鄰」，這就是東坡極端打破形似的主張，就是代表文人畫的說法，就可以想見時代的思想變遷，到了北宋以來，文人的畫盛行的緣故，又可以想見文人畫不能不發表的趨勢了。

　　還有一層，我們中國的畫，是與寫字有密切的關係，大凡能寫字的，他的畫也是好的，所以古今書畫兼長的很多。畫裏面的筆法，總是和寫字一樣。文人的畫不但把意思、趣味放在畫裏，而且把寫字方法也放進去，所以覺得畫裏面很不單簡，不是專在畫的範圍裏研究便可了事，還要從他種方法研究，才能敷出色。所以從宋直到明清，文

人的畫頗占勢力；也怪不得這種畫占勢力，實在是他們都是有各種素養、各種學問輳合得來的。倪雲林自論畫：「僕之所謂畫者，不過逸筆草草，不求形似，聊以自娛。」又論畫竹：「餘畫竹聊以寫胸中逸氣耳，豈復較其似與非！」吳仲圭論畫：「墨戲之作，蓋士大夫詞翰之餘，適一時之興趣。」看這些論說，可以想見文人畫的意旨所在，都是同東坡一個鼻孔出氣。

我說畫雖小道，第一要人品，第二要學問，第三要才情，第四才說到藝術上的工夫。所以文人畫的要素，須有這四種才能殼出色。文徵明、沈周、仇英、唐寅四家，以功力而論，都是旗鼓相當，以文人畫的價值評論起來，仇十洲到底比不過他們三家，這是甚麼緣故呢？（選自陳師曾，李運亨等編注《文人畫的價值》，載《陳師曾畫論》，中國書店 2008 年版）

編選說明 ●●◉

陳師曾（1876-1923），又名衡恪，號朽道人、槐堂，江西義寧（今修水）人。他是吳昌碩之後革新文人畫的重要代表，善詩文、書法，尤長於繪畫、篆刻。20 世紀初，在文人畫遭到「美術革命」衝擊之時，陳師曾肯定文人畫之價值。文中對何謂「文人畫」、文人畫的特點、文人畫的要素進行了深刻的論述。此文不僅表達了陳師曾對文人畫的理解和評價，同時也體現了陳師曾自身所追求的藝術理想。

魯迅
● ● ●

美術家必須有進步的思想與高尚的人格[1]

進步的美術家──這是我對於中國美術界的要求。

美術家固然須有精熟的技工，但尤須有進步的思想與高尚的人格。他的製作，表面上是一張畫或一個雕像，其實是他的思想與人格的表現。令我們看了，不但歡喜賞玩，尤能發生感動，造成精神上的影響。

我們所要求的美術家，是能引路的先覺，不是「公民團」[2]的首領。我們所要求的美術品，是表記中國民族知能最高點的標本，不是水平線以下的思想的平均分數。

近來看見上海什麼報的增刊《潑克》[3]上，有幾張諷刺畫。他的畫法，倒也模仿西洋；可是我很疑惑，何以思想如此頑固，人格如此卑劣，竟同沒有教育的孩子只會在好好的白粉牆上寫幾個「某某是我而子」一樣。可憐外國事物，一到中國，便如落在黑色染缸裏似的，無不失了顏色。美術也是其一：學了體格還未勻稱的裸體畫，便畫猥褻畫；學了明暗還未分明的靜物畫，只能畫招牌。皮毛改新，心思仍舊，結果便是如此。至於諷刺畫之變為人身攻擊的器具，更是無足深怪了。

說起諷刺畫，不禁想到美國畫家勃拉特（L.D.Bradley 1853-1917）來了。他專畫諷刺畫，關於歐戰的畫，尤為有名；只可惜前年死掉

了。我見過他一張《秋收時之月》（《The Harvest Moon》）的畫。上面是一個形如骷髏的月亮，照著荒田；田裏一排一排的都是兵的死屍。唉唉，這才算得真的進步的美術家的諷刺畫。我希望將來中國也能有一日，出這樣一個進步的諷刺畫家。

注釋 ●●●

[1] 本篇原題「隨感錄四十三」，標題為編者所加，最初發表於 1919 年 1 月 15 日《新青年》第六卷第一號。

[2] 「公民團」指袁世凱雇用的流氓打手，他們在 1913 年 10 月 6 日自稱「公民團」，包圍當時的國會，強迫議員選他為總統。後來的北洋軍閥段祺瑞、曹錕也都使用過這類手段。這裏是比喻統治者的御用工具。

[3] 指上海《時事新報》的星期圖畫增刊《潑克》。沈泊塵編。「潑克」，英語 Puck 的音譯，是英國民間傳說中喜歡惡作劇的小妖精的名字。

（選自《魯迅全集》第一卷，人民文學出版社 2005 年版）

編選說明 ●●●

魯迅（1881-1936），原名周樹人。中國現代文學的先驅，傑出的思想家、革命家和教育家。從小酷愛繪畫，喜好收藏古代石刻拓本和

畫本。偏愛版畫，尤其推崇木刻，終生大力介紹國內外著名的繪畫、木刻。曾編印《北平箋譜》，編譯《近代西洋美術史潮論》，為中國美術事業的發展作出了重要貢獻。

林語堂

書法：自然韻律的再現

　　在我看來，書法代表了韻律和構造最為抽象的原則，它與繪畫的關係，恰如純數學與工程學或天文學的關係。欣賞中國書法，是全然不顧其字面含義的，人們僅僅欣賞它的線條和構造。於是，在研習和欣賞這種線條的魅力和構造的優美之時，中國人就獲得了一種完全的自由，全神貫注於具體的形式，內容則撇開不管。繪畫總有一個客體要傳達，但一個寫得很好的字卻只傳達其本身線條和結構的美。在這絕對自由的天地裏，各種各樣的韻律都得到了嘗試，各種各樣的結構都得到了探索。正是中國的毛筆使每一種韻律的表達成為可能。而中國字，儘管在理論上是方方正正的，實際上卻是由最為奇特的筆劃構成的，這就使得書法家不得不去設法解決那些千變萬化的結構問題。於是通過書法，中國的學者訓練了自己對各種美質的欣賞力，如線條上的剛勁、流暢、蘊蓄、精微、迅捷、優雅、雄壯、粗獷、謹嚴或灑脫，形式上的和諧、勻稱、對比、平衡、長短、緊密，有時甚至是懶懶散散或參差不齊的美。這樣，書法藝術給美學欣賞提供了一整套術語，我們可以把這些術語所代表的觀念看作中華民族美學觀念的基礎。

　　由於這門藝術具有近 2000 年的歷史，且每位書法家都力圖用一種不同的韻律和結構來標新立異，這樣，在書法上，也許只有在書法

上，我們才能夠看到中國人藝術心靈的極致。某些美學鑒賞範疇，如對參差不齊之美的尊崇。對那些乍看搖搖欲墜，細看則安如磐石的結構的尊崇，這些美學範疇會使西方人大為吃驚。如果他們知道這些範疇在中國藝術的其它領域中並不容易看到，他們就更會驚歎不已。

　　對西方來說，更有意義的事實是，書法不僅為中國藝術提供了美學鑒賞的基礎，而且代表了一種萬物有靈的原則。這種原則一經正確地領悟和運用，將碩果累累。如上所說，中國書法探索了每一種可能出現的韻律和形式，這是從大自然中捕捉藝術靈感的結果，尤其來自動物、植物──梅花的枝丫、搖曳著幾片殘葉的枯藤、斑豹的跳躍、猛虎的利爪、麋鹿的捷足、駿馬的遒勁、熊羆的叢毛、白鶴的纖細，或者蒼老多皺的松枝。於是，凡自然界的種種韻律，無一不被中國書法家所模仿，並直接地或間接地形成了某種靈感，以造就某些特殊的「書體」。如果一位中國學者在一棵枯藤之上看到了某種美，它那不經意的雅致，可伸可縮的韌性，枝頭彎彎曲曲，幾片葉兒懸掛其上，漫不經心，卻又恰到好處，他就會把這種種的美融於自己的書法之中。如果另一位學者看到一棵松樹樹幹彎曲、樹枝下垂而不直立，表現出一種驚人的堅韌和力量，他也會將這種美融入自己的書法風格。於是，我們就有了「枯藤」和「勁松」的筆法。

　　曾經有一位名僧兼書法家先前習書多年卻無長進。一天，他閒步於山徑之間，偶見兩條大蛇在爭鬥，各自伸長脖頸，頗有一股外柔內剛之勢。他猛然有所感悟，頓生靈感，回去後便練就了一種極有個性的書體，稱作「鬥蛇」體，表現了蛇頸的伸展和彎曲。中國的「書聖」王羲之在談書法藝術時，也使用了自然界的意象：

每作一橫畫，如列陣之排雲；每作一戈，如百鈞之弩發；每
作一點，如高峰墜石；每作一折，如屈折銅鉤；每作一牽，
如萬歲枯藤；每作一放縱，如足行之趨驟。

如欲通曉中國書法，必先仔細觀察蘊藏在每個動物體內的形態和
韻律。每種動物都有其和諧優美之處，這是一種直接出自其生理機
能，尤其是運動機能的和諧。一匹腿部多毛、軀幹高大的負重拉車之
馬，有其獨特的美，正如一匹光滑靈巧的賽馬有其獨特的美一樣。這
種和諧還存在於身體細長、蹦蹦跳跳、快速靈活的靈犬身上，也存在
於長毛的愛爾蘭狗身上：它的頭和四肢在一起幾乎構成了一個方形
物，極似中國書法中的「隸書」（流行於漢代，後由清代鄧石如發展
成為一種藝術）。

有一點很重要，需要注意。這些動植物的外形之所以美，是因為
它們蘊藏著一種動勢。試想一枝盛開的梅花，具有多麼不經意的美麗
和充滿藝術感的不規則變化！徹底而藝術化地領悟這種美，就等於領
會了萬物有靈的內在原則，領悟了中國藝術。這枝梅花，即使花朵凋
謝或被撥落，仍然美麗無比，因為它還活著，因為它表達了一種生的
衝動。每一棵樹的外形都顯示了一種韻律，它源自某種生命的衝動，
它要生長，要擁抱陽光，要保持自己生命的平衡；它也源自抵禦風暴
的必要。每一棵樹都是美的，因為它暗示了這些衝動，尤其是因為它
暗示了一種朝某個方向的運動，一種向某個地方的延伸。它並沒有想
美，它只是想生存，結果卻是極端的和諧與令人十分滿意的美。

大自然給予靈犬以高度彎曲的身軀和一條連接身體與後腿的曲

線，以使它跑起路來迅捷無比。除此之外，大自然並沒有人為地賜給它什麼抽象的美。這些器官之所以美，是因為它們代表了某種速度，從這些和諧的器官中產生了一種和諧的形式。貓兒輕柔的舉動，導致了其柔軟的外形。即使是一隻固執地蹲伏在那裏的叭喇狗的線條，也能反映出它本身力大性猛的美。這樣，我們就解釋了自然界無窮無盡的形態，這些形態總是那麼和諧、那麼富有韻律，變化萬端，無以窮盡。換言之，自然界的美是動態的美，而非靜態的美。

這種運動的美正是理解中國書法的鑰匙。中國書法的美在動在不靜，由於它表達了一種動態的美，它生存了下來，並且也同樣是千變萬化，不可勝數的。迅捷穩重的一筆之所以是完美的，是因為它是速度和力量的象徵。不能摹仿，不能更改，因為任何更改都會帶來不和諧。這也就是為什麼書法作為一門藝術非常難學的原因。

（選自林語堂，郝志東等譯《中國人》第八章《中國書法》，學林出
版社 1994 年版）

編選說明 ● ● ●

林語堂（1895-1976），原名和樂，後改玉堂，又改語堂。現代著名學者、文學家、語言學家。《中國人》是林語堂先生以英語寫作的一部介紹中國歷史、社會與文化的重要著作，該書以中國文化為基點，對中西文化進行了廣泛的比較，旨在使西方人能夠比較準確、迅速地瞭解中國。節選文字生動地介紹了中國書法的特點及其在中國文

化中的特殊地位。書法體現了中國人的藝術韻律理想，而這種韻律卻是來自大自然的靈感和啟示，是書法家對自然萬物的感應並通過書法線條表達出來的。

宗白華
中國山水畫中所表現的空間意識

　　中國山水畫的開創人可以推到六朝、劉宋時畫家宗炳與王微。他們兩人同時是中國山水畫理論的建設者。尤其是對透視法的闡發及中國空間意識的特點透露了千古的秘蘊。這兩位山水畫的創始人早就決定了中國山水畫在世界畫壇的特殊路線。

　　宗炳在西洋透視法發明以前一千年已經說出透視法的秘訣。我們知道透視法就是把眼前立體形的遠近的景物看作平面形以移上畫面的方法。一個很簡單而實用的技巧，就是豎立一塊大玻璃板，我們隔著玻璃板「透視」遠景，各種物景透過玻璃映現眼簾時觀出繪畫的狀態，這就是因遠近的距離之變化，大的會變小，小的會變大，方的會變扁。因上下位置的變化，高的會變低，低的會變高。這畫面的形象與實際的迥然不同。然而它是畫面上幻現那三進向空間境界的張本。

　　宗炳在他的《畫山水序》裏說：「今張綃素以遠映，則　閬之形可圍於方寸之內，豎劃三寸，當千仞之高，橫墨數尺，體百里之遠。」又說：「去之稍闊，則其見彌小。」那「張綃素以遠映」，不就是隔著玻璃以透視的方法麼？宗炳一語道破於西洋一千年前，然而中國山水畫卻始終沒有實行運用這種透視法，並且始終躲避它，取消它，反對它。如沈括評斥李成仰畫飛簷，而主張以大觀小。又說從下望上只合見一重山，不能重重悉見，這是根本反對站在固定視點的透

視法。又中國畫畫棹面、臺階、地席等都是上闊而下狹，這不是根本躲避和取消透視法？我們對這種怪事也可以在宗炳、王微的畫論裏得到充分的解釋。王微的《敘畫》裏說：「古人之作畫也，非以案城域，辨方州，標鎮阜，劃浸流，本乎形者融，靈而變動者心也。靈無所見，故所託不動，目有所極，故所見不周。於是乎以一管之筆，擬太虛之體，以判軀之狀，盡寸眸之明。」在這話裏王微根本反對繪畫是寫實和實用的。繪畫是托不動的形象以顯現那靈而變動（無所見）的心。繪畫不是面對實景，畫出一角的視野（目有所極故所見不周），而是以一管之筆，擬太虛之體。那無窮的空間和充塞這空間的生命（道），是繪畫的真正對象和境界。所以要從這「目存所極故所見不周」的狹隘的視野和實景裏解放出來，而放棄那「張綃素以遠映」的透視法。

　　《淮南子》的《天文訓》首段說：「……道始於虛霩（通廓），虛霩生宇宙，宇宙生氣……」這和宇宙虛廓合而為一的生生之氣，正是中國畫的對象。而中國人對於這空間和生命的態度卻不是正視的抗衡，緊張的對立，而是縱身大化，與物推移。中國詩中所常用的字眼如盤桓、周旋、徘徊、流連，哲學書如《易經》所常用的如往復、來回、周而復始、無往不復，正描出中國人的空間意識，我們又見到宗炳的《畫山水序》裏說得好：「身所盤桓，目所綢繆，以形寫形，以色寫色。」中國畫山水所寫出的豈不正是這目所綢繆，身所盤桓的層層山、疊疊水，尺幅之中寫千里之景，而重重景象，虛靈綿邈，有如遠寺鐘聲，空中迴蕩。宗炳又說：「撫琴弄操，欲令眾山皆響」，中國畫境之通於音樂，正如西洋畫境之通於雕刻建築一樣。

西洋畫在一個近立方形的框裏幻出一個錐形的透視空間，由近至遠，層層推出，以至於目極難窮的遠天，令人心往不返，馳情入幻，浮士德的追求無盡，何以異此？

中國畫則喜歡在一豎立方形的直幅裏，令人抬頭先見遠山，然後由遠至近，逐漸返於畫家或觀者所流連盤桓的水邊林下。《易經》上說：「無往不復，天地際也。」中國人看山水不是心往不返，目極無窮，而是「返身而誠」，「萬物皆備於我」。王安石有兩句詩云：「一水護田將綠繞，兩山排闥送青來。」前一句寫盤桓、流連、綢繆之情；下一句寫由遠至近，回返自心的空間感覺。

（選自宗白華《中西畫法所表現的空間意識》，載《美學散步》，上海人民出版社 1981 年版）

編選說明 ● ● ●

宗白華（1897-1986），原名宗之櫆，字伯華，現代美學家，被稱為「中國式的體驗美學大師」。作者於文中追溯中國山水畫史上的「透視」理論與藝術實踐，並輔證以中國哲學對於空間的看法，提出對於中國山水畫來說，「那無窮的空間和充塞這空間的生命（道），是繪畫的真正對象和境界」，有著與西方風景畫完全不同的追求。正是這種不同的追求，成就了中國畫獨特的美學特徵。

豐子愷

漫畫藝術的欣賞

　　古人云：「詩人言簡而意繁。」我覺得這句話可以拿來準繩我所歡喜的漫畫。我以為漫畫好比文學中的絕句，字數少而精，含義深而長。舉一例：「寥落故行宮，宮花寂寞紅。白頭宮女在，閒坐說玄宗。」這二十個字，取得非常精彩。凡是讀過歷史的人，讀了這二十個字都會感動。開元、天寶之盛，羅襪馬嵬之變，以及人世滄海桑田之慨，衰榮無定之悲，一時都湧起在讀者的心頭，使他嘗到藝術的美味。

　　我們試來研究這首五絕中所取的材料，有幾樣物事。只有四樣：「行宮」，「花」，「宮女」和「玄宗」。不過加上形容：「寥落的」「古的」行宮，「寂寞地紅著的」宮花，「白頭的」宮女，「宮女閒坐談著的」玄宗。取材少而精，含義深而長，真可謂「言簡意繁」的適例。漫畫的取材與含義，正要同這種詩一樣才好。

　　然而漫畫的表現力究竟不及詩。它的造型的表現不夠用時，常常要借用詩的助力，侵佔文字的範圍。如漫畫的藉重畫題便是。照藝術的分類上講，詩是言語的藝術。畫是造型的藝術。嚴格地說，畫應該只用形象來表現，不必用畫題，同詩只用文字而不必用插畫一樣。詩可以只用文字而不需插畫，但漫畫卻難於僅用形象而不用畫題。多數的漫畫，是靠著畫題的說明的助力而發揮其漫畫的效果的。然而這也

不足為漫畫病。言語是抽象的，其表現力廣大而自由；形象是具象的，其表現力當然有限制。例如「白頭宮女在，閒坐說玄宗」，詩可以簡括地用十個字告訴讀者，使讀者自己在頭腦中畫出這般情景來。畫就沒有這樣容易，而在簡筆的漫畫更難。倘使你畫一個白頭老太婆坐著，怎樣表出她是宮女呢？倘使你把她的嘴巴畫成張開了說話的樣子，畫得不好，看者會錯認她在打呵欠。況且怎樣表明她在說玄宗的舊事呢？若用漫畫中慣用的手法，從人物的口中發出一個氣泡來，在氣泡裏寫字，表明她的說話。那便是借用了文學的工具。況且寫的字有限，固定了某一二句話，反而不好。萬不及「說玄宗」三個字的廣大。就是上面兩句，「寥落古行宮，宮花寂寞紅」，用漫畫也很難畫出。你畫行宮，看者或將誤認為邸宅。你少畫幾朵花，怎能表出它們是「宮花」，而在那裏「寂寞紅」呢？

　　所以畫不及詩的自由。然而也何必嚴禁漫畫的借用文字為畫題呢？就當它是一種繪畫與文學的綜合藝術，亦無不可。不過，能夠取材精當，竭力謝絕文字的幫忙，或竟不藉重畫題，當然是正統的繪畫藝術，也是最難得的漫畫佳作。

　　借日本老畫家竹久夢二先生的幾幅畫來作為說例吧。

　　有一幅畫，描著青年男女二人，男穿洋裝，拿史的克（手杖），女的穿當時的摩登服裝，拉著手在路上一邊走，一邊仰起頭來看一間房子門邊貼著的召租。除了召租的小紙箋上「Kashima Ari」（「內有貸間」）五字（日本文有五個字）而外，沒有別的文字。這幅畫的取材我認為是很精彩的。時在日本明治末年，自由戀愛之風盛行，「Love is best」（「愛情至上」）的格言深印在摩登青年的腦中。畫中

的男女，看來將由（或已由）love 更進一步，正在那裏忙著尋覓他們的香巢了。「貸間」就是把房間分租，猶如上海的「借亭子間」之類。這召租雖然也是文字，但原是牆上貼著的，仍不出造型的範圍，卻兼有了畫題的妙用。

夢二先生的畫有許多不用畫題，但把人間「可觀」的現象畫出，隱隱地暗示讀者一種意味。「可觀」二字太籠統，但也無法說得固定，固定了範圍便狹。隱隱的暗示，可有容人想像的餘地。例如有一幅描著一個女子獨坐在電燈底下的火缽旁邊，正在燈光下細看自己左手的無名指上的指環。沒有畫題。但這現象多麼「可觀」！手上戴著盟約的指環的人看了會興起切身的感動。沒有這種盟約指環的人，會用更廣泛自由的想像去窺測這女子的心事——這麼說穿了也乏味。總之，這是世間萬象中引人注目的一種狀態。作者把它從萬象中提出來，使它孤立了，成為一幅漫畫，就更強烈地引人的注目了。日常生活中常有引人注目的現象，可以不須畫題，現成地當作漫畫的材料，只要畫的人善於選取。

（選自豐子愷《漫畫藝術的欣賞》，載《現代美術家畫論 · 作品 · 生平——豐子愷》，學林出版社 1987 年版）

編選說明 ● ● ●

豐子愷（1898－1975），我國現代畫家、散文家、教育家和翻譯家。他的文章風格雍容恬靜，漫畫幽默風趣，寥寥數筆就意趣全出，

往往深刻地反映了社會現象，成為中國美術界的一個獨特而非凡的創造。以漫畫第一人來談漫畫藝術的欣賞，自然是本色當行，深得其中三昧。節選文字為作者 1935 年應《中學生》雜誌而作，既深入淺出，又有獨到的見解，文筆看似平易無奇，但世上能將漫畫藝術談得如此透徹而深刻的，又有幾人呢！

梁思成

中國的建築

　　中國古人從未把建築當成一種藝術，但像在西方一樣，建築一直是藝術之母。正是通過作為建築裝飾，繪畫與雕塑走向成熟，並被認作是獨立的藝術。

　　技術與形式。中國建築是一種土生土長的構築系統，它在中國文明萌生時期即已出現，其後不斷得到發展。它的特徵性形式是立在磚石基座上的木骨架即木框架，上面有帶挑簷的坡屋頂。木框架的梁與柱之間，可以築幕牆，幕牆的唯一功能是劃分內部空間及區別內外。中國建築的牆與歐洲傳統房屋中的牆不同，它不承受屋頂或上面樓層的重量，因而可隨需要而設或不設。建築設計者通過調節開敞與封閉的比例，控制光線和空氣的流入量，一切全看需要及氣候而定。高度的適應性使中國建築隨著中國文明的傳播而擴散。

　　當中國的構築系統演進和成熟後，像歐洲古典建築柱式那樣的規則產生出來，它們控制建築物各部分的比例。在紀念性的建築上，建築規範由於採用斗拱而得到豐富。斗拱由一系列置於柱頂的托木組成，在內邊它承托木梁，在外部它支撐屋簷。一攢斗拱中包括幾層橫向伸出的臂，叫「拱」，梯形的墊木叫「鬥」。斗拱本是結構中有功能作用的部件，它承托木梁又使屋簷伸出得遠一些。在演進過程中，斗拱有多種多樣的形式和比例。早期的斗拱形式簡單，在房屋尺寸中

占的比例較大；後來斗拱變得小而複雜。因此，斗拱可作為房屋建造時代的方便的指示物。

由於框架結構使內牆變為隔斷，所以中國建築的平面布置不在於單幢房屋之內部劃分，而在於多座不同房屋的佈局安排，中國的住宅是由這些房屋組成的。房屋通常圍繞院子安排。一所住宅可以包含數量不定的多個院子。主房大都朝南，冬季可射入最多的太陽光，在夏天陽光為挑簷所阻擋。除了因地形導致的變體，這個原則適用於所有的住宅、官府和宗教建築物。

歷史的演變。中國最古的建築遺存是一些漢代的墳墓。墓室及墓前的門墩——闕，雖是石造的，形式卻是仿木結構，高起的石雕顯現著同樣高超的木匠技藝。斗拱在如此早期的建築中已具有重要作用。

在中國至今沒有發現存在公元 8 世紀中葉以前漫長時期裏所造的木構建築。但從一些石窟寺的構造細部和它們牆上的壁畫我們可以大略知曉 8 世紀中期以前木構建築的外貌。山西大同附近的雲岡石窟建於公元 452—494 年；河南河北交界處的響堂山石窟和山西太原的天龍山石窟建於公元 550—618 年，它們是在石崖上鑿成的佛國淨土，外觀和內部都當做建築物來處理，模仿當時的木構建築。陝西西安慈恩寺大雁塔西門門楣石刻（公元 701—704 年）準確地顯示出一座佛寺大殿。甘肅敦煌公元 6 世紀到 11 世紀的洞窟的壁畫中畫的佛國淨土，建築背景極其精緻。這些遺跡是未留下實物的時代的建築狀況的圖像記錄。在這樣的圖像中，我們也看到斗拱的重要，並且可以從中追蹤到斗拱的演變軌跡。

中國現存最早的木構建築是山西省五臺山佛光寺大殿。它單層七

間，斗拱雄大，比例和設計無比雄健莊嚴。大殿建於公元 857 年，在公元 845 年全國性滅法後數年。佛光寺大殿是唯一留存下來的唐代建築，而唐代是中國藝術史上的黃金時代。寺內的雕塑、壁畫飾帶和書法都是當時的作品。這些唐代藝術品聚集在一起，使這座建築物成為中國獨一無二的藝術珍品。

唐朝以後的木構建築保留的數量逐漸增多。一些很傑出的建築物可以作為宋代和同時期的遼代與金代的代表。

河北省薊縣獨樂寺觀音閣建於公元 984 年。這是一座兩層建築，當中立著一座有十一個頭的觀音像。兩個樓層之間又有一個暗層，實際是三層。在觀音閣上，斗拱的作用發揮到極致。

太原附近晉祠的建築群建於 1025 年，兩座主要建築物都是單層。但主殿為重簷。大同華嚴寺大殿是一座巨大的單層單簷建築，建於 1090 年，是中國最大的佛教建築物之一。許多年後的 1260 年，河北曲陽的北嶽廟建成，它的屋頂上部構件經過大量改建，但其下部及外觀整體基本未變。

對上述這些建築物的比較研究表明，斗拱與建築物整體的比例越來越小。另一共同特點是越往建築物的兩邊柱子越高。這一細緻的處理使簷口呈現為輕緩的曲線（華嚴寺大殿是個例外），屋脊也如此，於是建築物外觀變得柔和了。

到了明朝，精巧的處理消失。這個趨勢在皇家的紀念性建築中尤其明顯。北平以北 40 公里的河北省昌平縣明朝永樂皇帝陵墓的大殿是突出的例子。它的斗拱退縮到無足輕重的地步，非近觀不能看見。雖然明、清兩代的個體建築退步，但北平故宮是宏偉的大尺度佈局的

佳例，顯示了中國人構想和實現大範圍規劃的才能。紫禁城用大牆包圍，面積為 3350 英尺×2490 英尺（1020 米×760 米），其中有數百座殿堂和居住房屋。它們主要是明、清兩代的建築。紫禁城是一個整體。一條中軸線貫穿紫禁城和圍繞它的都城。殿堂、亭、軒和門圍著數不清的院子布置，並用廊子連接起來。建築物立在數層白色大理石臺基上。柱子和牆面一般是刷成紅色的。斗拱用藍、綠和金色的複雜圖案裝飾起來，由此形成冷色的圈帶，使簷下更為幽暗，顯得簷部挑出益加深遠。整個房屋覆在黃色或綠色的琉璃瓦頂之下。中國人對房屋整體所作的顏色處理，其精緻與獨創性舉世無雙。

（選自梁思成《中國的藝術與建築》，載林洙編《大拙至美》，中國青年出版社 2007 年版）

編選說明 ● ● ●

　　梁思成（1901-1972），著名的建築學家和建築教育家。畢生從事中國古代建築的研究和建築教育事業。系統地調查、整理、研究了中國古代建築的歷史和理論，是這一學科的開拓者和奠基者。選文出自 1946 年梁思成赴美講學時應《美國大百科全書》之約所寫的詞條，原文為英文。節選內容介紹了中國古代建築的技術、形式和歷史演變。儘管是詞條式的介紹性短文，但文字準確、清晰、深刻，體現了作者學貫中西的學術眼光、對本民族文化的深深敬意和無限熱愛。

陳從周

中國園林的特色

　　園有靜觀、動觀之分，這一點我們在造園之先，首要考慮。何謂靜觀，就是園子中游者多駐足的觀賞點；動觀就是要有較長的遊覽線。二者說來，小園應以靜觀為主，動觀為輔，庭院專主靜觀。大園則以動觀為主，靜觀為輔。前者如蘇州網師園，後者則蘇州拙政園差可似之。人們進入網師園宜坐宜留之建築多，繞池一周，有檻前細數遊魚，有亭中傳月迎風，而軒外花影移牆，峰巒當窗，宛然如畫，靜中生趣。至於拙政園徑緣池轉，廊引人隨，與「日午畫船橋下過，衣香人影太匆匆」的瘦西湖相彷彿，妙在移步換影，這是動觀。立意在先，文循意出。動靜之分，有關園林性質與園林面積大小。像上海正在建造的盆景園，則宜以靜觀為主，即為一例。

　　中國園林是由建築、山水、花木等組合而成的一個綜合藝術品，富有詩情畫意。疊山理水要造成「雖由人作，宛自天開」的境界。山與水的關係究竟如何呢？簡言之，模山範水，用局部之景而非縮小（網師園水池仿虎丘白蓮池，極妙），處理原則悉符畫本。山貴有脈，水貴有源，脈源貫通，全園生動。我曾經用「水隨山轉，山因水活」與「溪水因山成曲折，山蹊隨地作低平」來說明山水之間的關係，也就是從真山真水中所得到的啟示。明末清初疊山家張南垣主張用平岡小陂、陵阜陂阪，也就是要使園林山水接近自然。如果我們能

初步理解這個道理，就不至於離自然太遠，多少能呈現水石交融的美妙境界。

中國園林的樹木栽植，不僅為了綠化，更要具有畫意。窗外花樹一角，即折枝尺幅；山間古樹三五，幽篁一叢，乃模擬枯木竹石圖。重姿態，不講品種，和盆栽一樣，能「入畫」。拙政園的楓楊、網師園的古柏，都是一園之勝，左右大局，如果這些饒有畫意的古木去了，一園景色頓減。樹木品種又多有特色，如蘇州留園原多白皮松，怡園多松、梅，滄浪亭滿種箬竹，各具風貌。可是近年來沒有注意這個問題，品種搞亂了，各園個性漸少，似要引以為戒。宋人郭熙說得好：「山水以山為血脈，以草為毛髮，以煙云為神采。」草尚如此，何況樹木呢？我總覺得一地方的園林應該有那個地方的植物特色，並且土生土長的樹木存活率大，成長得快，幾年可茂然成林。它與植物園有別，是以觀賞為主，而非以種多鬥奇。要能做到「園以景勝，景因園異」，那真是不容易。這當然也包括花卉在內。同中求不同，不同中求同，我國園林是各具風格的。古代園林在這方面下過工夫，雖亭臺樓閣，山石水池，而能做到風花雪月，光景常新。我們民族在欣賞藝術上存乎一種特性，花木重姿態，音樂重旋律，書畫重筆意等，都表現了要用水磨功夫，才能達到耐看耐聽，經得起細細的推敲，蘊藉有餘味。在民族形式的探討上，這些似乎對我們有所啟發。

園林景物有仰觀、俯觀之別，在處理上亦應區別對待。樓閣掩映，山石森嚴，曲水灣環，都存乎此理。「小紅橋外小紅亭，小紅亭畔，高柳萬蟬聲。」「綠楊影裏，海棠亭畔，紅杏梢頭。」這些詞句不但寫出園景層次，有空間感和聲感，同時高柳、杏梢，又都把人們

視線引向仰觀。文學家最敏感，我們造園者應向他們學習。至於「一丘藏曲折，緩步百躋攀」，則又皆留心俯視所致。因此園林建築物的頂，假山的腳，水口，樹梢，都不能草率從事，要著意安排，山際安亭，水邊留礬，是能引人仰觀、俯觀的方法。

　　我國名勝也好，園林也好，為什麼能這樣勾引無數中外遊人，百看不厭呢？風景絢美，固然是重要原因，但還有個重要因素，即其中有文化、有歷史。我曾提過風景區或園林有文物古跡，可豐富其文化內容，使遊人產生更多的興會、聯想，不僅僅是到此一遊，吃飯喝水而已。文物與風景區園林相結合，文物賴以保存，園林藉以豐富多彩、兩者相輔相成，不矛盾而統一。這樣才能體現出一個有古今文化的社會主義中國園林。

　　（選自陳從周《說園》，載《陳從周園林隨筆》，人民文學出版社
2008 年版）

編選說明 ● ● ●

　　陳從周（1918-2000），原名郁文，晚年別號梓室，自稱梓翁。著名古建築、園林藝術家、專家。擅長文、史、兼工詩詞、繪畫，後專門從事古建築、園林藝術的教學和研究。選文出自《說園》，談景言情、論虛說實、文筆清麗，讀者可從中領略中國古代建築和園林的神韻。葉聖陶先生在論《說園》的信中說「從周兄熔哲文美術於一爐，以論造園，臻此高境，欽悅無量」。此文被譯為英、日、德、法、意等文字，有著廣泛的影響。

金開誠

●●●

中國書法與傳統文化

　　我國的書法藝術源遠流長。事實上，當中國文化開始以書面形式積累、傳承時，也便有了書法藝術的萌芽。在其後的發展中，書法藝術不僅成為傳統文化的一個組成部分，而且還和整個傳統文化一起延綿發展，同步相應。因此，通過書法藝術可以看到傳統文化的種種精神與實質。

　　文字只是記錄語言的工具，而文字本身又不過是由筆劃、線條組成的符號。然而我國歷代的書法家卻能以漢字為材料，通過豐富多彩的想像與加工，使之成為藝術形象，從而創造出一種完全土生土長、高度民族化的造型藝術來。由於中國人民對美的執著追求和卓越的創造能力，所以整個書法藝術無論在歷史的發展上，還是在各個發展階段的空間展布上，都表現出千姿百態、爭奇鬥豔，既有深刻傳承又有飛躍創新的局面。因此可以說，書法藝術乃是傳統文化中最為生動活躍的組成部分之一，它突出表現了中國傳統文化的內在生機和在歷史發展中的不斷充實與更新。

　　世人皆知中國傳統文化博大精深，但人們往往直覺地認為這是由於文明古國歷史悠久的緣故，卻不能充分注意歷代人民對文化創造的自覺而頑強的追求。書法是高度個性化的藝術，「筆為心畫」，人人都有獨特的風格，因此在顯示個人的創造追求方面具有極大的鮮明

度。而且，這種在文化創造方面高度自覺的個性化追求，至遲在漢代「八分」書流行的階段已有了充分的表現。因為大量「八分」名碑儘管在書寫中都遵循了扁方橫勢、逆入順出、波磔揚厲、「燕不雙飛」等模式要求，卻仍然姿彩紛呈，各有風致。由此以後，在各體書法的寫作中，對藝術創造與藝術個性的自覺追求更是蔚成風氣並且日益加深。所以中國書法雖然概括說來只有篆隸正草四體，但每種字體卻都有難以計數的風格與流派，各自爭奇鬥豔，蔚為大觀。雖然在發展過程中，由於封建科舉的功令限制，在南宋以下出現過千人一面、整齊如算珠的「館閣書法」，但這種書法即使在封建時代也幾乎遭到所有書法藝術家與理論家的一致批判。這一事實在一定程度上說明祖國文化的發展中確有某種去蕪存精的內在機能。因此儘管由於種種原因而泥沙俱下，但其精華部分卻也日積月累，終於使傳統文化在整體上變得博大精深。

在書法藝術的審美中，諸如藝術辯證法的深刻運用，氣、韻、境、趣等中國特有的審美範疇的建立，書品與人品的統一，多種文化素養的陶冶等等，都標誌著書法藝術與整個傳統文化的密切聯繫，但因篇幅所限，本文只擬重點剖析一個問題，即在歷代書法創作與理論中有著鮮明表現的「以力為美」的傾向。

近人胡小石先生說：「凡用筆作出之線條，必須有血肉，有感情。易言之，即須有豐富之彈力。剛而非石，柔而非泥。取臂以明之，即須如鐘錶中常運之發條，不可如湯鍋中爛煮之麵條。」這段話生動明白之極，卻不只是胡先生個人的見解，而是透徹地再現了歷代書法中佔有主導地位和普遍意義的經驗總結。早在傳為秦相李斯的書

論中已經強調:「凡書,非但裹結流快,終借筆力遒勁。」又傳為晉代衛夫人的名作《筆陣圖》中也說:「多力豐筋者聖,無力無筋者病。」書聖王羲之的書法流美絕倫,然而梁武帝卻說:「羲之書字勢雄逸,如龍跳天門,虎臥鳳闕。故歷代寶之,永以為訓。」這一評論且為後世視為定說。如唐代歐陽詢書,《新唐書》本傳稱其「初效王羲之書,後險勁過之」;褚遂良書,魏徵稱其「下筆遒勁,甚得王逸少體」。至於魏碑及顏真卿、柳公權之書,則更以剛健遒勁著稱。由此可見,書法藝術不論形象、風格如何變化,均須以筆劃富有內勁為第一要義。

但是,書法藝術「以力為美」並不是指寫字要用巨大的力氣,更不是指張牙舞爪,霸氣逼人;而是指書法的線條與形象要有內在的勁力與活力。它的來源主要靠實踐的功力與火候,這就叫「力由功來」。傳統書法理論強調筆劃要圓滿可觀,要「肥而不腫,瘦而不削」;反對「任筆為畫,因墨成字」;要求「萬毫齊力」、「墨到之處皆有筆在」。由此可見,「以力為美」歸根到底是要求在筆墨的運用上達到高度的藝術準確性,而這種境界若不靠深厚的功力是無法達到的;書法的「力」是練功練出來的,而不是使勁使出來的。

書法藝術「以力為美」、「力由功來」,體現了傳統文化中一些更為內在而深刻的因素。傳統文化的創造有無數品種與樣式,而無論哪一種真創造都必然出於真功夫。所以中國人從做學問、創事業、練本事乃至養身體,都把「功到自然成」持為信念,同時也是力求達到的理想境界。而「功」也便成了中國特有的一個概念,對一切文化創造起著引導與保證的作用。

「功」的產生只有靠勤學苦練，因此在中國傳統文化中，「勸學」的詩文格言特別多，而「勸學」又總離不開由勤學苦練以積成深厚的功力，這正鮮明地反映了中國人民勤勞勇敢的氣質。同時，中國人又歷來強調「學無止境」，這也反映了中國人民的文化創造要求是始終蓬勃而永無休止的，這是蘊含在傳統文化中最為可貴的精神之一。

這種精神在今天尤有發揚之必要。

（選自金開誠《藝術欣賞之旅》，中國工人出版社 2000 年版）

編選說明 ● ● ●

金開誠（1932-2008），中國當代著名學者，在《詩經》《楚辭》研究、傳統文化研究、文藝心理學研究等領域成果卓著，蜚聲海內外。他一生以傳承弘揚中華優秀文化為己任，自然對包括書法在內的中國藝術也有著深刻的認識，發表了《中國書法藝術特徵》《顏真卿書法藝術概論》等一系列有其獨特見解的書法理論文章。合作著有《書法藝術美學》，主編《中國書法文化大觀》等。他並不滿足於對中華傳統文化作一般的考證研究，歷來主張優秀的傳統文化要貼近廣大的群眾，尤其是貼近青少年而利於久遠的流傳與弘揚，為此，他撰寫了許多通俗易懂的藝術隨筆雜談。本篇談中國書法與傳統文化，娓娓道來，深入淺出，被收入高中語文閱讀課本。

［三 ⋯ 表演藝術］

莎士比亞

戲劇的目的始終是反映自然

第三幕第二場　城堡中的廳堂

哈姆萊特及若干伶人上。

哈姆萊特請你念這段劇詞的時候，要照我剛才讀給你聽的那樣子，一個字一個字打舌頭上很輕快地吐出來；要是你也像多數的伶人們一樣，只會拉開了喉嚨嘶叫，那麼我寧願叫那宣布告示的公差念我這幾行詞句。也不要老是把你的手在空中這麼搖揮；一切動作都要溫文，因為就是在洪水暴風一樣的感情激發之中，你也必須取得一種節制，免得流於過火。啊！我頂不願意聽見一個披著滿頭假髮的傢伙在臺上亂嚷亂叫，把一段感情片片撕碎，讓那些只愛熱鬧的低級觀眾聽了出神，他們中間的大部分是除了欣賞一些莫名其妙的手勢以外，什麼都不懂。我可以把這種傢伙抓起來抽一頓鞭子，因為他把妥瑪剛特

形容過候全場的注意力應當集中於其它更重要的問題上；這種行為是不可恕的，它表示出那丑角的可鄙的野心，去，準備起來吧。

　　哈姆萊特可是太平淡了也不對，你應該接受你自己的常識的指導，把動作和言語互相配合起來；特別要注意到這一點，你不能越過自然的常道；因為任何過分的表現都是和演劇的原意相反的，自有戲劇以來，它的目的始終是反映自然，顯示善惡的本來面目，給它的時代看一看它自己演變發展的模型。要是表演得過分了或者太懈怠了，雖然可以博外行的觀眾一笑，明眼之士卻要因此而皺眉；你必須看重這樣一個卓識者的批評甚於滿場觀眾盲目的毀譽。啊！我曾經看見幾個伶人演戲，而且也聽見有人把他們極口捧場，說一句比喻不倫的話，他們既不會說基督徒的語言，又不會學著基督徒、異教徒或者一般人的樣子走路，瞧他們在臺上大搖大擺，使勁叫喊的樣子，我心裏就想一定是什麼造化的雇工把他們造了下來：造得這樣拙劣，以至於全然失去了人類的面目。

　　（選自朱生豪等譯《莎士比亞全集》第 5 卷，人民文學出版社 1994 年版）

編選説明 ● ● ●

　　威廉·莎士比亞（William Shakespeare，1564-1616），文藝復興時期的英國戲劇大師，他的作品達到了歐洲文藝創作的高峰。他的文藝思想，散見於戲劇和詩中。在悲劇《哈姆萊特》中，他通過哈姆萊

特和伶人的談話，提出：「自有戲劇以來，它的目的始終是反映自然。」莎士比亞的戲劇觀得到一些作家和評論家的高度讚揚。歌德稱頌「莎士比亞的戲劇是一個美妙的萬花筒，在這裏面，世界的歷史由一根無形的時間線索串聯在一起，從我們眼前掠過。」歌德不禁高呼：「自然，自然！沒有比莎士比亞的人物更自然的了。」

諾維爾

● ● ●

談舞劇表演

　　這就是一個我所說的「情節性場面」，在其中舞蹈應該用感人的、有激情的語言來說話，而對稱性的、冷冰冰的花樣，只會妨礙這個場面的自然和逼真，只會削弱它的表現力，使人感到乏味。我認為，在這種場面中，應該表現出一種表面上似乎雜亂，實質上並非無章的狀態，而編導的藝術只能在給自然錦上添花的條件下才應該出現。

　　全人類的激情全都是一樣的，而隨著每一個人的敏感性程度的不同，他的激情也有所不同。激情對有些人的作用要強烈一些，對另外一些人的作用較弱一些；流露激情的力度和速度也是因人而異的。如果同意這個道理（自然界每時每刻都在向我們提供這個方面的證據），那麼，我們就應該把舞姿設計得多樣化一些，使臉部表情帶有多種多樣的細緻變化——這樣做，各個登場人物的表演也就不會彼此雷同了。（第一封信）

　　一個編得好的舞劇，應當就是一幅活的畫卷，它能表現出某個民族的激情、性格、風俗、禮儀和生活特色。因此，不論是哪一種體裁的舞劇，它都應該是默劇，並且通過（演員的）眼神同觀眾的心靈交談；如果舞劇失去了表情，如果其中沒有鮮明的圖畫、強烈的情景，它就會僅僅是平淡無力的、單調的演出場面。舞劇藝術這種創作形式

受不了平庸；猶如繪畫一樣，它要求完美，要做到這一點比較困難，因為它的目的是確切地模仿自然；然後最困難的（如果不說是完全不可能）還是抓住那種特殊的迷人的真實性，這種真實性會不由自主地引起觀眾的幻覺，轉瞬之間把觀眾帶進這麼一種令人心曠神怡的場面──如果在現實生活中見到藝術所模仿的那種事件，就必定產生這種心情。為了不誇大或者縮小努力模仿的對象，需要具備何等的感覺啊！過於美化範本，同醜化範本是同樣有害的：二者將在同樣的程度上妨礙相似──前者會把自然捧過了頭，而後者又會貶低了美。

　　……

　　……舞蹈包含有成為所有語言中最為雄辯的一種語言的一切必要條件。但只知道它的字母表，是遠遠不能用這種語言說話的。如果是一個富有才華的人，他就會把這些字母排列一番，構成各種單詞，再把這些單詞連貫成一個整體──於是，舞蹈不再是啞巴無聲的了，它將會成為既有表情，又有強烈感情的語言，舞劇也就可以同優秀的話劇（作品）一樣分享感人肺腑、催人淚下（在比較不崇高的體裁中，則是引人入勝、娛人眼目、消愁解悶）的榮譽了。這樣，經過感情的裝飾，在天才的支配之下，舞蹈最終必將有權贏得詩和繪畫在歐洲各地早就享受的那種聲譽和讚揚。（第二封信）

　　在這裏我用「行動」一詞，指的不是舞蹈的那個力學方面（在其中舞蹈被歸結為僅僅是動作本身，舞蹈演員克服著各種各樣的技術難點，鼓足自己的全部力量，努力跳得更高，或者描繪他根本沒有的某種瘋狂的心情）。

　　「行動」一詞，用在舞蹈上，是指以手勢和面部表情的真實動作

為媒介，把自己的感情和情慾傳達給觀眾的心靈。因此，行動不是別的，正是默劇。

……

手勢──這是一支發自心靈的利箭；它會立刻發生作用，並且直接命中目標，但它必須是名符其實的利箭。

在掌握了我們的藝術的基本原則之後，我們就會開始跟隨我們心靈的動作，心靈永遠也不會把能夠生動地感受的人引入迷途。即使是這時它向你的心靈提示某一個手勢，這個手勢也一定是既真實又畫面準確，而它的行動是毫無差錯的。激情是迫使整個機械開動起來的彈簧，它不管激情產生的動作是怎麼個樣子，這些動作不可能不是富有表情的。由此可以作出清楚的結論：在情節舞蹈中乾巴巴的學校規則應該消失，讓位於自然的感情。

……

……我所說的手勢是指由臉孔的真實、多樣的表演加強了的手臂的富有表情的動作。熟練的舞蹈家的手臂應該非常富有表現力，如果他的臉孔沒有表演，如果臉上看不出把激情銘刻在人的前額的種種變化，如果眼睛不能表現他心靈中的活動，舞蹈演員就會變得不自然，他的表演就會變得機械，由於完全缺乏真實和逼真，只會引起人們的氣憤。

……

舞蹈演員本來應該像話劇演員那樣，努力描繪和感覺，因為他們都抱有同一個目的。如果他們不為自己的角色所激動，不浸透這個角色的真正性格，那麼，他們就不能指望取得成功和獲得嘉許。他們應

該運用幻想的力量來征服觀眾，迫使觀眾體驗到那些他們自己也受到鼓舞的感情。作為偉大表演家的特徵，構成一切美的藝術的那種情感的真實性，可以比喻為一種類似電荷的東西，這種急速傳遞的火花能在一剎那間就點燃觀眾的想像，打動他們的心靈，具有威力地把他們的心靈向情感敞開。

　　演員真實地傳達出來的痛苦喊聲也好，充滿真實性的默劇行動的身體動作也好，都同樣負有打動我們心靈的使命；前者通過聽覺到達心靈，而後者則通過視覺。這二者都能產生同樣強烈的印象，如果由默劇描繪出來的形象，像用言語來表達的形象一樣地生動、熱烈，能同樣地打動我們的話。

　　沒有表情地朗誦美麗的詩句，或者機械地完成美麗的舞步，都是不可能達到類似的印象的。必須讓心靈、臉孔、手勢、舞姿──一切都在這裏構成一個勻稱的整體，用既有力又真實的語言來說話。

　　……

　　也許，您會說話劇演員比舞蹈演員有優越的條件，他擁有臺詞，即朗誦的力量和表現力。但是，難道舞蹈演員沒有手勢、舞姿和音樂嗎？音樂，不是也應該把它看成是一種特別的語言，也是舞蹈演員的合乎邏輯的動作的解釋者嗎？（第十封信）

（選自〔法〕諾維爾，管震湖等譯《舞蹈和舞劇書信集》，上海文藝
出版社 1982 年版）

編選說明 ●●●

　　讓·喬治·諾維爾（Tean Georges Noverre，1727-1810），法國著名的舞蹈改革家和編導。諾維爾在法國芭蕾藝術史中佔有重要地位，他富於改革精神，在世界上第一個提出了「情節芭蕾舞」的概念，是「情節芭蕾」的創始人，使芭蕾從歌劇中分離出來，成為沒有歌唱、臺詞、完全依靠舞蹈和默劇來表現其情節的一種獨立的藝術形式。1760 年，當《舞蹈和舞劇書信集》這部現實主義的舞劇理論的宣言書問世以後，一場空前的「舞劇啟蒙運動」在法國拉開了帷幕，並一直為世界舞蹈史讚譽。本篇所選即體現了他的舞蹈思想：注重戲劇結構和人物形象的刻畫，強調舞劇的故事性，提倡「情節性舞蹈」，採用默劇的表現手段，並改革了服裝，建立了歐洲舞劇的創作方法。

雨果

戲劇的藝術魅力

　　我們好像覺得已經有人說過這樣的話：戲劇是一面反映自然的鏡子。不過，如果這面鏡子是一面普通的鏡子，一個刻板的平面鏡，那麼它只能夠映照出事物暗淡、平面、忠實但卻毫無光彩的形象；大家都知道，經過這樣簡單的映照，事物的顏色和光彩會失去了多少。戲劇應該是一面集中的鏡子，它不僅不減弱原來的顏色和光彩，而且把它們集中起來，凝聚起來，把微光化為光明，把光明化為火光。因此，只有戲劇才為藝術所承認。

　　舞臺是一個視覺的集中點。世界上、歷史上、生活中和人類中的一切都應該而且能夠在其中得到反映，但是必須是在藝術魔棍的作用下才成。藝術歷觀各世紀和自然界，窮究歷史，盡力再現事物的真實，特別是再現比事物更確鑿、更少矛盾的風俗和性格的真實，它起用編年史家所節略的材料，調和他們剔除了的東西，發現他們所遺漏的並加以修理，用富有時代色彩的想像來充實他們的漏洞，把他們任其散亂的東西收集起來，把人類傀儡下面的神為的提線再接起來，給一切都穿上既有詩意而又自然的外裝，並且賦予它們以產生幻想的、真實和活力的生命，也就是那種現實的魔力，它能激起觀眾的熱情，而且，首先是激起詩人自己的熱情，因為詩人是具有良知的。由此，藝術的目的差不多是神聖的，如果它寫作歷史，就是起死回生，如果

它寫作詩歌，就是創作。

　　如果我們看到戲劇這樣廣泛的發展，那真是偉大而壯麗的事情：在這種戲劇中，藝術強有力地發展了自然，情節堅定而又輕快地逐步朝向結局發展，既不繁雜又不小氣，詩人全面地完成了藝術的複雜的目的，那就是向觀眾展示出兩個意境，同時照亮了人物的外部和內心，通過言行表現他們的外部形貌，通過旁白和獨白刻畫內在的心理，總之一句話，就是把生活的戲和內心的戲交織在同一幅圖景中。

　　我們認為，要寫這類作品，如果說詩人應該在這些東西中有所選擇的話，那他選的不是美，而是特徵。這也並不意味著像人們現在所說的那樣去渲染一些地方色彩，也就是說，在完成了一部歸根到底是虛偽和一般化的作品之後，然後在這作品上加上一些觸目的顏色，這樣做是不恰當的。地方色彩不該在戲劇的表面，而該在作品的內部，甚至在作品的中心，地方色彩生動地從那裏自然而均勻地流到外面來，也可以說流佈到戲劇的各個部分，好像樹液從根莖一直輸送到最尖端的樹葉。戲劇應該完全浸透著這種時代的色彩；戲劇在這種色彩中就好像在空氣中一樣，使人在進出於其間的時候，只感到變換了世紀和氣氛。要達到這種境地就需要一些鑽研和努力，這樣更好。藝術的大道被荊棘所阻塞，在它面前，除了意志堅強的人以外，一切都見而卻步，這也是件好事。正是這種為熱烈的靈感所支持的鑽研會使戲劇免於一種致命的缺陷，那就是一般化。一般化是短視的和缺乏才能的詩人的毛病。在舞臺的視野上，一切形象都應該表現得特色鮮明，富有個性，精確恰當。甚至庸俗和平凡的東西也應有各自的特點，什麼都不應放棄。真正的詩人像上帝一樣同時出現在他作品中的每一個

地方。

（選自柳鳴九譯《雨果論文學》之《〈克倫威爾〉序》，上海譯文出版
社 1980 年版）

編選說明 ● ● ●

　　維克多・雨果（Victor Hugo，1802-1885），法國傑出的作家，19
世紀前期積極浪漫主義文學運動的代表人物。戲劇論文《〈克倫威爾〉
序》的發表，是雨果一生創作中異彩獨放的明珠，被看成是浪漫主義
的宣言書，雨果一夜之間成為浪漫主義運動的青年領袖。《〈克倫威
爾〉序》向一切權威挑戰的咄咄逼人的氣勢，被視為青年人不滿舊傳
統、爭取新秩序的精神寫照。作家戈蒂耶日後回憶起《〈克倫威爾〉
序》，認為這是繼《人權宣言》之後的《文權宣言》。今天，《〈克倫
威爾〉序》仍然是法國文藝史上的一篇公認的「美文」，是法語散文
的典範之一。

舒曼

音樂的想像力和表現力

　　我的確很難斷定，一個不知道作曲者的意圖的人，聽了音樂是否也會引起和貝遼茲心裏相同的形象，因為我已預先看過了樂曲的標題——一旦你的視線膠著於一個明確的東西上，你的聽覺就不能獨立自主地判斷了。不過有人問，音樂是否當真能完成貝遼茲要求它在《幻想交響曲》裏完成的使命呢，那麼讓他試試看吧，是否能夠在音樂裏放進另一種性質或是相反性質的形象。起初我覺得標題束縛我領會音樂的自由，感到很掃興。但是隨著音樂的進展，標題漸漸退到次要地位。我自己的想像力開始馳騁，這時我不但領會到標題裏所說明的一切，而且還領會了更多的東西，於是樂曲裏幾乎處處都洋溢著生氣蓬勃的溫暖的音調了。一般的說，器樂在描寫內心思想和外界事物方面可以達到怎樣的程度，對於這個複雜的問題許多人的看法都過於保守了。當然，如果以為作曲家展開紙拿起筆，都是打算表現、敘述或描繪某個事物，那自然是錯誤的想法。不過也不能把外界事物的印象和影響作用估計得太低。在音樂的想像中往往無意之間摻進了某種思想，往往視覺對聽覺起了配合的作用。視覺這個永遠在積極活動的官感，能把音響中產生的形象加以鞏固和保持，隨著音樂的進展，使它的輪廓變得愈來愈明確。音樂中產生的思想和形象，所包含其它藝術的因素愈多，音樂的結構愈是富有詩意的靈活的表現力。總括一句

話，音樂家的想像力愈是豐富，對事物的感受力愈是靈敏，他的作品也就愈是能鼓舞人、吸引人。為什麼貝多芬在創作幻想曲的時候，不能興起關於不朽的思想呢？他由於憑弔一位陣亡的英雄有所感觸，而創作了一部交響樂作品，另一位音樂家對幸福美好的往昔的緬懷而創作了一個作品，難道這樣的創作方式有什麼不對的地方嗎？

我們難道不應當感謝莎士比亞啟發了一位青年的音樂家寫出他的最優秀的樂曲嗎？[1]難道我們可以抹煞大自然的功績，否認我們在樂曲中利用了美麗宏偉的自然景色嗎？意大利、阿爾卑斯山、壯麗的海洋景象，春回人間、大地蘇醒的宜人景色，這一切難道音樂沒有向我們描述嗎？甚至那些微不足道、沒有普遍意義的現象，也會賦予音樂一種可變的、具體而形象化的性質，使我們不由不驚訝，音樂竟能反映這麼多的事物。例如有位作曲家對我說，當他創作某首作品時，眼前浮現了一隻蝴蝶歇在葉子上順著小溪的流水漂浮。這個形象使他的小曲帶有一種異常柔和而天真爛漫的風味，使聽眾當真產生了和這幅圖景相符合的印象。

弗蘭茲·舒柏特在用音樂從事細緻的生活寫景方面，是一位傑出的大師。說到這裏我不能不談一談，我親歷的一件事情：一天我和一位朋友彈奏舒柏特的進行曲。彈完後，我問他在這音樂曲中是否想像到一些非常明確的形象；他回答說：「的確我彷彿看見自己在一百多年以前的塞維爾城，置身於許多在大街上遊逛的紳士淑女之間。他們穿著長衣裙，尖頭鞋，佩著長劍……」值得提起是我心中的幻想居然和他心裏的完全相同，連城市也是賽維爾城！誰也不能使我相信，這

───────────

1　指門德爾松的《仲夏夜之夢》。

個小小的實例是無關重要的！

（選自《舒曼論音樂與音樂家》，人民音樂出版社 1982 年版）

編選說明 ● ● ●

　　羅伯特 · 舒曼（Robert Schumann，1810-1856），德國優秀的作曲家、鋼琴家、指揮家和音樂評論家。從小愛好文學、詩歌、音樂。7 歲學習作曲，11 歲創作了合唱及管絃樂作品。曾在萊比錫創辦《音樂新報》，撰寫評論文章，和當時保守的學院派和庸俗的市儈藝術展開針鋒相對的鬥爭，宣揚用藝術的理想來代替現實的理想，對促進當時浪漫主義藝術的發展，起到重要的促進作用。其間結識了孟德爾松、蕭邦等音樂家，他最傑出的鋼琴作品就寫於這個時期，是浪漫主義音樂時期的主要代表之一。

別林斯基

論悲劇和喜劇

　　悲劇的實質，我們上面已經說過，是在於衝突，即在於人心的自然欲望與道德責任或僅僅與不可克服的障礙之間的衝突、鬥爭。與悲劇的觀念結合著的是陰森可怕的事件和不幸結局的觀念。德國人把悲劇叫做悲慘的場面 Trauerspiel，而悲劇確實就是悲慘的場面！如果說血泊和屍體、利劍和毒藥不是它的無時或缺的特徵，然而它的結局則永遠是人心中最珍貴希望的破滅、畢生幸福的喪失。由此就產生了它的陰森莊嚴，它的巨大宏偉：悲劇中籠罩著劫運，劫運是悲劇的基礎和實質……衝突是什麼呢？──是命運對獻給它的犧牲品的無條件的要求。只要主人公為了道德法則的利益而戰勝自己心中的自然欲望，那麼，別了，幸福！別了，生活的歡樂和魅力！他就是活人中的死屍；他心愛之物就是靈魂深處的憂傷，他的食糧就是痛苦，他唯一的出路不是病態的剋制自己，就是迅速的死亡！只要悲劇的主人公順從自己心中的自然欲望，那他就在自己眼睛裏也是一個罪人，他是自己良心的犧牲品，因為他的心就是那塊土壤──道德法則在它上面深深地紮下了根，不把心本身撕碎，不使它血流如注，就不能把這些根子拔掉。在衝突中，生存的法則好像尼祿的命令一樣，根據這個命令，不為統治者的死去的妹妹痛哭的人也要被作為罪人處以死刑，因為他們沒有同情他的損失；為她的死亡痛哭的人也要被處死刑，因為她被

列入了女神，而為女神灑淚不過是羨慕她的幸福的一種表現……同時，沒有一種詩像悲劇這樣強烈地控制了我們靈魂，以如此不可抗拒的魅力使我們心向神往，給我們如此高度的享受。這一點的基礎便是巨大的真實、高度的合理。我們深深同情鬥爭中犧牲的或勝利中死亡的英雄；但是我們也知道，如果沒有這個犧牲或死亡，他就不成其為英雄；便不能以自己個人為代價實現永恆的本體的力量，實現世界的不可逾越的生存法則了。

　　……

　　喜劇是戲劇詩的最後一類，與悲劇截然相反。悲劇的內容是偉大道德現象的世界，它的主人公是充滿著人類精神天性的本體力量的個性；喜劇的內容是缺乏合理的必然性的偶然事件，是主觀幻想的世界或者似乎存在而實際上不存在的現實的世界；喜劇的主人公是離開了自己精神天性的本體基礎的人們。因此，悲劇所產生的作用是震撼靈魂的神聖的恐懼；喜劇所產生的作用是笑，是時而快樂、時而冷嘲的笑。喜劇的實質是生活的現象同生活的實質和使命之間的矛盾。在這個意義上，生活在喜劇中便表現為自我否定。悲劇在其狹窄的動作範圍內只集中主人公的事件的崇高的富有詩意的方面，而喜劇主要地是描繪日常生活的平凡方面、它的瑣碎事故和偶然事情。悲劇是詩的太陽的運轉圈，太陽走近它的時候，就到了運行的頂點，當進入喜劇的時候，就已經逐漸下降了。在希臘人那裏，喜劇是詩的死亡：阿里斯托芬是他們的最後一個詩人，他的喜劇是一去不復返的美滿生活的葬歌，是這種生活所產生的優美希臘藝術的葬歌。但是在近代世界中，生活的一切因素互相滲透，並不妨礙彼此的發展，喜劇對於藝術也就

沒有這樣可悲的意義，因為它的因素滲入了或可能滲入一切種類的詩中，它能夠同悲劇一起發展，甚至在藝術的歷史發展上先於悲劇。

　　真正藝術的喜劇的基礎是最深刻的幽默。詩人的個性在喜劇中僅僅從表面上是看不出來的；但是他對生活的主觀的直觀，作為 arriére-pensée[2]，直接出現在喜劇中，您彷彿從喜劇中描繪的動物般的畸形的人物身上看見了另一些美好的和富有人性的人物，於是您的笑不是帶有快樂的味道，而是帶有痛苦和難受的味道……在喜劇中，生活所以要表現成它本來的樣子，目的就是要使我們清楚地認識到生活應該有的樣子。藝術喜劇的最傑出的典範是果戈理的《欽差大臣》。

　　藝術的喜劇不應該為了詩人規定的目的而犧牲描繪的客觀真實性，否則它就從藝術的喜劇變成說教的喜劇──這個字眼的意思，正如我們在下面將要闡述的一樣。但是，如果說教的喜劇不是出於賣弄聰明的天真願望，而是來自被生活的庸俗所深深淩辱了的精神，如果它的嘲笑摻和著諷刺的憤恨，它的基礎是極深刻的幽默，而它的描寫洋溢著強烈的美感──總而言之，如果它是經過苦痛得來的創作，那它就不愧是一部藝術的喜劇，自然，這樣的喜劇不可能不是偉大才能的創作；它的描述可能過於鮮明和色彩太濃，但是不會誇大到不自然和漫畫式的程度；自然，其中的登場人物的性格應當是創造出來的，而不是捏造出來的，在這些性格的描繪中應該看得到較大或較小程度的藝術性。我們的這種喜劇的最高典範是《聰明誤》──這是一個天才人物的最高貴的創造，這是看到渺小人物的腐敗社會而感到的雷霆般震怒的過分流露，因為這些渺小人物的心靈裏照射不進上帝的光

2　注文：隱情。

明，他們靠陳舊腐朽的傳說和卑劣不道德的規矩過日子，他們渺小的目的和卑微的願望不過著眼於生活的各種幻影——官職、金錢、誹謗、貶低人的尊嚴，而他們的冷漠無情和醉生夢死的生活無異是一切活躍的情感、一切合理的思想、一切崇高的激情的死亡……《聰明誤》無論對於我國的文學以及對於我國的社會都有著巨大的意義。

（選自〔俄〕別林斯基，李邦媛譯《戲劇詩》，《古典文藝理論譯叢》，

人民文學出版社 1962 年版）

編選說明 ● ● ◉

維薩里昂·格裏戈里耶維奇·別林斯基（Vissarion Grigoryevich Belinsky，1811-1848），俄國著名的革命民主主義者、傑出的文學評論家、俄國現實主義文學理論和批評的奠基者。他的作品對當時俄國社會各個領域的新現象均有涉及，其文學批評理論以精確的藝術分析和敏銳的洞察力，將哲學和政治融為一體，其中的某些觀點，「到今天它仍然具有巨大的、生動的意義」（列寧語），在世界文學史上有著重要地位。

李斯特

●　●　●

音樂是人類的萬能語言

　　如果不算戲劇的話，任何一種藝術都沒有像音樂這樣吸引群眾，並且它愈普及，人們對它的興趣也就愈強烈。

　　圖畫和雕刻的展覽會使藝術家和觀眾仍保留在起初的孤立狀態。雖然這裏每一件作品都是一種特殊感情的表現，是訴諸一個感受的，然而由展覽會所產生的感觸仍然很零散和孤立。在陳列館和圖書館以外的造型藝術和詩歌的作品是私人的財產，只有一部分看得到的人能夠享受它和品評它。音樂和它的盛況就完全不同了。這裏大家都致力於解決同一任務：使作品能夠表演得更好；這裏大家共同享受一個東西，大家都飲同樣的甘露，都同時被同樣的感情所控制。不僅如此！音樂的輝煌的宣言決不只限於它的作品由群眾參加演出和為群眾創作；它滿足我們的心靈中的一些恰正相反的要求，並且給心靈以它所能容納的各種印象。我們感情的任何一種最隱秘的活動它都不希望忽略，它用自己所固有的一切形式來頻繁地迎接這些活動。它在軍營中是熱鬧而雄壯的，在舞臺上是莊嚴、偉大和歡樂的，在舞會中是令人陶醉和迷人的，在抒情曲中它是溫柔的、真誠的、熱情的，在混聲或男聲合唱曲中它是柔和或剛強的，在交響樂中、在聲樂史詩中它是雄辯和頌贊的。它在熙熙攘攘的人群中把一個人引到自己的樹蔭下的幽靜地方，它使另外一個人充滿了孤獨感。這裏它團結了成百的人共同

行動，那兒它使兩個聲音、兩顆互相傾慕的心融合在一股氣息裏、融合在一個和音裏。它就這樣參與個別人的命運，與他休戚相共，它也參與生活的外在的表現，在廟堂和在森林裏都有它的聲音。由回憶而產生的歌曲、雷鳴般的作戰的號召、整個民族的旗幟和內心愛情的象徵——整個人類史都有它的聲音，不論何時何地誰也不會對它感到陌生。它是能夠達到這個結果、擴張自己的王國和加強自己的政權的，但是只有既運用科學又運用藝術才能達到，運用科學是為得到藝術生根所必需的土壤。

只有當它的啟示不僅有毋庸置疑的價值，而且還能夠吸引人和感動人（這是所有偉大的藝術作品一定要有的素質）時，它才能做到這一點。

該發生的事終究是要發生的。音樂必須創造自己的語言。它必須探討和聲，好使曲調不再是我們的體驗的純本能表現的手段，不再是露骨的哼叫和模糊不清的含混話，好使它能夠一清二白地表達思想感情，和聲應當用它長期積纍的一切因素來補充同語言同時產生的曲調。和聲由於這些因素和借助於自己的豐富多彩和靈活性是能夠使它所加工的材料達到藝術形式的水準的。借助於天賦和才華，曲調對這個任務擔當得是這樣出色，以至現在它已經像人的語言一樣有無數的語彙了。這些語彙是有機地組成的，像話句一樣隨著思想感情的曲折而在自己的意義和次序上經常地改變著並且將一直改變下去，能夠達到任何完美和豐富的程度。因此音樂可以稱作是人類的萬能語言，人的感情用這種語言能夠向任何心靈說話和被一切人所理解。雖然各民族創造了各種各樣的方言，但要看哪一種表現方法最符合它們之中的

某一個人的心靈。

　　這種音樂文法、邏輯、句法、修辭的創造需要很長的一段時間，在這段時間內，音樂如果超出了自己的專門範圍和除了關心自己的家事以外還做點什麼的話，它很可能受到不小損害，任何一棵橡樹都曾經是顆橡實，任何一棵香柏都曾經是灌木，任何一種藝術都是從笨拙的實地體驗和枯燥的理論練習以及為了弄清它必須運用的材料的特點而進行的實驗開始的。但是如果把支配這個世界大多數現象的法則應用到藝術上，如果同意時間只愛護它自己所創造的東西和使嬰兒期最長、發育期最慢的東西最長壽的話，那完全有理由設想，像音樂這種發展最慢、長時期邁著極小的步子進展和經過幾百年才達到成熟的藝術，一定保證繁榮的時期最長。

（選自張洪模譯《李斯特論柏遼茲與舒曼》中「羅柏特‧舒曼」篇，

人民音樂出版社 1979 年版）

編選說明 ● ● ●

　　弗朗茲‧李斯特（Franz Liszt，1811-1886），匈牙利作曲家、鋼琴家、指揮家、音樂教育家，也從事音樂評論的寫作。他是西方音樂史上最重要的浪漫派音樂家之一，曾豐富和革新鋼琴的演奏技術，極端強調情感在音樂中的地位和作用，大力提倡標題音樂，首創「交響詩」體裁併創作了大量其它形式的標題音樂作品。他的理論和實踐對擴大音樂的表現領域、加深對音樂內容的表現、對標題音樂的發展都曾起到不小的促進作用。

柴可夫斯基

論民間音樂

一

　　俄羅斯民歌是民間創作極其珍貴的典範；它那別具一格的、獨特的氣質，它那無比美妙的曲調變化，要求人們具有高度的音樂修養，才能使俄羅斯歌曲適應既有的和聲規則，而又不歪曲其意念和精神。現在有許許多多庸俗的、冒牌的俄羅斯歌調盛行一時。為了把它們和真正的民間曲調區別開來，人們既需要有細緻的音樂感，又需要對俄羅斯歌曲創作有真摯的愛。

二

　　如果司拉維揚斯基先生被認為是什麼高舉俄羅斯音樂旗幟的英雄，那我就要說，只有那些根本不懂音樂，特別是不懂俄羅斯歌曲的人才會有這樣的想法。俄羅斯歌曲結構獨特，旋律線條特殊，節奏別具一格，在大多數情況下不適合既有的節拍分割。對於一位有修養、有才能的音樂家來說，俄羅斯歌曲是一種極為珍貴的、雖然粗糙的素材，音樂家在一定情況下是能夠對這種素材加以完善運用的。我們所有作曲家，如格林卡、達爾戈梅斯基、謝洛夫、安·魯賓什坦、巴拉基列夫、裏姆斯基-科薩科夫、穆索爾斯基等人，都曾運用過俄羅斯歌曲，並且從中汲取過豐富的靈感源泉。俄羅斯歌曲就其本身的原型而言，缺乏完整的藝術形式，是純粹本能創作過程的產物，所以不能

算作是藝術作品。這僅僅是種子，而具備才能和知識的藝術家能夠將它培植成參天大樹。我可以喜愛紫羅蘭、玫瑰花和百合花，但不能因此說我應該見種子而驚喜，只有我的園丁將來會將種子培養成為我所喜愛的花朵。音樂藝術家就他和俄羅斯歌曲的關係而論，也就是一位園丁，他懂得應該用什麼樣的土壤，在什麼樣的時間，處於什麼樣的氣溫條件下，才能栽培他的寶貴的種子。但是並非任何人都能夠成為出色的園丁。必須由高手來處理俄羅斯民間敘事歌、童話和歌曲。俄羅斯歌曲作為一種異常美妙的民族志現象，作為民族創作個性的獨特產物，使我們感興趣，但在這種情況下應該：或者是就地聆聽這種歌曲，也就是說，人們以一種獨特的方式演唱它，雖然帶原始氣息，卻吸引俄國人的聽覺；或者是在荒僻的鄉村為真正的民間歌手記譜，比如像奧斯塔普·維列薩依去年在彼得堡備受歡迎；最後，或者是向歌曲集求教，我們這裏歌曲集固然不多，但其中有出色的作品，如巴拉基列夫先生的歌曲集。為了記錄俄羅斯民歌，為它配和聲而又不加歪曲，並仔細保存其特性，就需要有像巴拉基列夫先生具有的那樣廣泛的音樂修養、深刻的藝術史知識和重大才具。一個人如果在天才以至修養和理解力方面不能與巴拉基列夫相比，而又可悲地宣稱自己是民歌的記錄者和改編者，他就是不尊重自己，不尊重自己的藝術、自己的人民、自己的聽眾；他就是以褻瀆神聖的手侮辱我們民間創作的聖地；他就喪失了爭取藝術家稱號的一切權利；他所追逐的不是藝術的目的，而是與藝術毫無共同之處的目的。

（選自逸文譯《柴可夫斯基論音樂創作》，人民音樂出版社 1984 年版）

編選説明 ● ● ●

　　彼得 · 伊裏奇 · 柴可夫斯基（Peter Ilyich Tchaikovsky，1840-
1893），俄羅斯最偉大的作曲家。10 歲開始學習鋼琴和作曲，23 歲
在彼得堡音樂學院學習作曲，畢業後任教於莫斯科音樂學院。之後，
辭去教授職務，在梅剋夫人的資助下專門從事音樂創作。一生創作了
6 部交響曲、11 部歌劇和數部芭蕾舞曲等大量傳世之作，作品數量
之多，形式之豐富，在西方音樂史上是罕見的。柴可夫斯基的音樂時
而熱情奔放，時而細膩婉轉，他的旋律具有獨特的俄羅斯民族風格。
他的音樂作品，以深刻的思想內容和極高的藝術性，為世界人民所喜
愛，成為人類音樂寶庫中的珍品。

斯坦尼斯拉夫斯基

舞臺魅力

　　現在我來談一談舞臺魅力。

　　你們知不知道有這樣一些演員呢？他們一出臺，就受到觀眾的喜愛。那是為什麼呢？為了他們的美？但他們往往並不美。為了他們的聲音？他們的聲音往往並不好。為了他們的才能？他們的才能往往也不是值得讚美的。到底為了什麼呢？為了我們稱為魅力的那種難以捉摸的資質。為了演員整個人的那種無法解釋的吸引力，這種吸引力使他們的缺陷變為優點，並為他們的崇拜者和模仿者所仿傚。

　　這種演員一切缺點都可以得到原諒，甚至是不好的表演。讓他們經常在舞臺上出現，盡可能在那裏待得久些，使觀眾盡情欣賞自己心愛的人吧!

　　在實生活中遇到這種演員時，就連他們最熱心的崇拜者也往往會帶著失望的口氣說：「哎呀!他在實生活裏是多麼乏味啊!」但是腳光恰恰只照出他那始終令人神往的長處。無怪乎這種資質被稱為舞臺魅力，而不稱為生活魅力。

　　具備這種魅力是幸運的，因為它預先保證演員博得觀眾的好評，能幫助演員去實現自己的創作意圖，給他的角色和藝術添上光彩。

　　但演員必須謹慎地、巧妙地、質樸地利用自己的天賦，這是十分重要的!如果他不懂得這一點，而去濫用、去賣弄自己的魅力，那就

不好了。像這種演員，在後臺就管他叫做「賣俏的女人」。他們就像妓女那樣出賣自己的美貌，一走上舞臺，就為了個人，為了個人的收入和成功而賣弄自己的魅力，並不把這種魅力用在他們所創造的形象上。

這是一種很危險的錯誤。我們知道很多這樣的事情：天生的舞臺魅力成為演員遭到毀滅的原因，因為他所關心的一切，他的全部技術歸根到底都只是為了自我表現。

他的天賦彷彿就為了這一點，為了他不善於利用它自己，而無情地向他進行報復，因為自我欣賞和自我表現掩蓋了、歪曲了並破壞了「魅力」本身。於是演員就成為自己美妙天賦的犧牲者。

「舞臺魅力」的另一種危險是，演員具備這種魅力之後，往往會變得很單調，因為他總是要炫耀自己。要是（這種演員）躲到形象後面去，就會聽到自己崇拜者的歎息聲：「唉，多醜啊！他幹嗎把自己糟蹋了！」由於害怕不合異性崇拜者的心意，這種演員一走上舞臺，便趕緊去抓住救命的資質，一心一意使它通過角色的化妝和服裝顯露出來，而這種角色往往並不需要演員本人的這一資質。

但是也有一些具備另一種舞臺魅力的演員。他們，相反的，不需要表現自己的本來面目，因為他們正好缺乏個人魅力，甚至完全沒有這種魅力。但是，這種演員只要一戴上假髮、鬍鬚，敷上使他本人完全改觀的油彩，他就變得很有舞臺魅力了。吸引人的並不是他本人，而是他的藝術上、創作上的魅力。

他的創作包含著某種柔和、細緻、美麗的東西，可能還包含著某種果敢、華麗，甚至於大膽、敏銳的東西，這些都令人心向神往。

現在我要就那些既沒有這種又沒有那種舞臺魅力的可憐演員說幾句話：他們的天性裏隱藏著某種令人討厭的東西。這種人在實生活中卻常常占到便宜。「他多麼可愛啊！」人們在舞臺外看到他時，會這樣談起他：「為什麼他在臺上那樣討厭呢？」同時會大惑不解地加上一句。其實這種演員在自己的藝術和創作方面，往往要比那些天生具有不可抗拒的「舞臺魅力」，因而一切都能得到原諒的演員聰明得多，有本事得多，誠實得多。

對於這種不公正地受到委屈的演員，應該仔細地來觀察，應該對他們習慣起來。只有這樣，才能夠認識到他們藝術上的真正長處。這種觀察往往要歷時很久，因此對他們才能的承認也就來得慢些。

這裏出現了一個問題：難道沒有辦法一方面在演員身上培養起（哪怕是在某種程度上培養起）生來就欠缺的舞臺魅力，另一方面排除掉命運給演員帶來的那些令人討厭的缺點嗎？

能夠的，不過只是在某種程度上。並且與其說在培養魅力方面，倒不如說在消滅令人討厭的缺點方面。當然，演員本人首先應該知道也就是感覺到這些缺點，有了認識以後，再學會跟它們作鬥爭。這不是容易的事情，需要長期的觀察，需要徹底認識自己，需要耐性，需要在糾正生來的缺陷和生活習慣方面做一番有系統的工作。

至於在自己身上培養起能吸引觀眾的那種難以領會的東西，這工作就更加困難，看來也許是更少有可能的了。

不過，在這方面，習慣是重要的助手之一。觀眾能習慣於演員那些可以獲得魅力的缺陷，由於習慣的結果，就再也看不見以前那種怪不順眼的東西了。

再通過卓越的表演手法，通過良好的訓練，甚至可以在某種程度上造成「舞臺魅力」，因為它們本身就是具備舞臺魅力的。

我們往往聽到這樣的話：「這個演員表演得多麼好啊!簡直認不出來!從前他卻是叫人看了就討厭。」

對於這一點，可以這樣來回答：

「勞動和對自己藝術的認識促成了這種轉變。」

「藝術使人美麗，使人崇高。凡是美麗和崇高的東西也就是具有魅力的東西。」

（選自〔蘇〕康·塞·斯坦尼斯拉夫斯基，鄭雪來譯《演員自我修養》第二部，中國電影出版社 1986 年版）

編選說明 ● ● ●

康·塞·斯坦尼斯拉夫斯基（Konstantin Stanislavski，1863-1938），蘇聯傑出的戲劇家和導演，被列寧譽為「真正的藝術家」。他繼承西歐和俄羅斯的現實主義戲劇藝術傳統，積纍本人的表演和導演經驗，並在莫斯科藝術劇院的創作實踐基礎上，創立了馳譽世界的戲劇表演體系，這也是世界上表演藝術理論中最具影響的理論體系，是歐洲體驗派表演藝術的集大成者和發展者。斯坦尼斯拉夫斯基關於演劇藝術的論著篇幅浩大，《演員自我修養》1938 年初次出版，但早在 1907 年就開始了著述工作，編寫了 30 年之久，反映了他全部創作經驗的「體系」，是隨著他創作經驗的積纍以及社會和美學觀點的形

成而形成的。該著多次再版,為舞臺現實主義的真正科學理論奠定了鞏固的基礎。

羅曼・羅蘭

貝多芬傳

　　親愛的貝多芬！多少人已頌贊過他藝術上的偉大。但他遠不止是音樂家中的第一人，而是近代藝術的最英勇的力。對於一般受苦而奮鬥的人，他是最大而最好的朋友。當我們對著世界的劫難感到憂傷時，他會到我們身旁來，好似坐在一個穿著喪服的母親旁邊，一言不發，在琴上唱著他隱忍的悲歌，安慰那哭泣的人。當我們對德與惡的庸俗鬥爭到疲憊的辰光，到此意志與信仰的海洋中浸潤一下，將獲得無可言喻的裨益。他分贈我們的是一股勇氣，一種奮鬥的歡樂，一種感到與神同在的醉意，彷彿在他和大自然不息地溝通之下，他竟感染了自然的深邃的力。葛裏巴紮對貝多芬是欽佩之中含有懼意的，在提及他時說：「他所到達的那種境界，藝術竟和獷野與古怪的原子混合為一。」舒曼提到《第五交響曲》時也說：「儘管你時常聽到它，它對你始終有一股不變的威力，有如自然界的現象，雖然時時發生，總教人充滿著恐懼與驚異。」他的密友興特勒說：「他抓住了大自然的精神。」——這是不錯的：貝多芬是自然界的一股力；一種原始的力和大自然其餘的部分接戰之下，便產生了荷馬史詩般的壯觀。

　　他的一生宛如一天雷雨的日子。——先是一個明淨如水的早晨。僅僅有幾陣懶懶的微風。但在靜止的空氣中，已經有隱隱的威脅、沉重的預感。然後，突然之間的陰影卷過，悲壯的雷吼，充滿著聲響

的、可怖的靜默，一陣復一陣的狂風，《英雄交響曲》與《第五交響曲》。然而白日的清純之氣尚未受到損害。歡樂依然是歡樂，悲哀永遠保存著一縷希望。但自一八一〇年後，心靈的均衡喪失了。日光變得異樣。最清楚的思想，也看來似乎水汽一般在昇華；忽而四散，忽而凝聚；它們的又淒涼又古怪的騷動，罩住了心；往往樂思在薄霧之中浮沉了一二次以後，完全消失了，淹沒了，直到曲終才在一陣狂飆中重新出現。即使快樂本身也蒙上苦澀與獷野的性質。所有的情操裏都混合著一種熱病，一種毒素。黃昏將臨，雷雨也隨著醞釀。然後是沉重的雲，飽蓄著閃電，給黑夜染成烏黑，挾帶著大風雨，那是《第九交響曲》的開始。——突然，當風狂雨驟之際，黑暗裂了縫，夜在天空給趕走，由於意志之力，白日的清明重又還給了我們。

　　什麼勝利可和這場勝利相比？波拿巴的那一場戰爭，奧斯特利茨哪一天的陽光，曾經達到這種超人的努力的光榮？曾經獲得這種心靈從未獲得的凱旋？一個不幸的人，貧窮，殘廢，孤獨，由痛苦造成的人，世界不給他歡樂，他卻創造了歡樂來給予世界！他用他的苦難來鑄成歡樂，好似他用那句豪語來說明的——那是可以總結他一生，可以成為一切英勇心靈的箴言的：「用痛苦換來的歡樂。」

　　（選自〔法〕羅曼·羅蘭，傅雷譯《貝多芬傳》，人民音樂出版社1988 年版）

編選説明 ● ● ●

　　羅曼·羅蘭（Romain Rolland，1866-1944），法國批判現實主義作家、音樂評論家和社會活動家。羅曼·羅蘭的藝術成就主要在於他用豪爽質樸的文筆刻畫了在時代風浪中，為追求正義、光明而奮勇前進的知識分子形象，其小説特點常常被歸納為「用音樂寫小説」。《貝多芬傳》作於 1903 年，當時剛剛進入 20 世紀，羅曼·羅蘭意識到新的社會大動盪的時代即將到來，他在尖鋭抨擊庸俗的資產階級文化時，主張「應當為新社會創造一種新的藝術」，並寫下了《貝多芬傳》。本文選的是《貝多芬傳》末尾作者對貝多芬的人生及其音樂創作的總結，從中我們也可以明顯感覺出羅曼·羅蘭的藝術觀。貝多芬所處的年代，正值舊的毀滅與新的勃發交加，他的成功掩隱著無可言説的苦痛，他創造的藝術是「苦難鑄成的歡樂」。

鄧肯

●●●

在舞蹈中喚醒靈魂

在音樂方面，有三種類型的作曲家：第一種是學究式的作曲家，他們通過頭腦的思索和推敲，創作出講究技巧的、精雕細琢的樂曲，這樣的樂曲是通過意識來喚起人們的感受的。第二種是那些懂得如何把自己的感情溶化在音響中的作曲家，他們以自己內心的歡樂或痛苦創作出樂曲，這樣的樂曲能直接打動聽眾的心靈，能使他們回想自己的歡樂和痛苦，在追憶往日幸福的情緒中潸然淚下。第三種作曲家則以自己的靈魂，下意識地聆聽來自另一世界的美妙旋律，並且能用人類所能理解的、悅耳的音樂形式把這種美妙旋律表現出來。

同樣，也有三種類型的舞蹈家：第一種是把舞蹈看作一種肢體活動的舞蹈家，他們重視美觀大方的、但毫無個性的動作。第二種舞蹈家注意使身體動作服從於某一特定的情感節奏，表現出有感染力的情緒或生活經驗。而最後一種舞蹈家，他們把身體變得猶如液體一樣清澈透明，從中分明能看到靈魂的波動。這第三種舞蹈家懂得，人體在靈魂的作用下確實能變得像清澈見底的液體，肌膚會變得晶瑩透明，彷彿在 X 光的照射之下。所不同的是，人的靈魂甚至比 X 光更飄然。當靈魂完全控制了身體並發揮其神奇的力量時，它將會使身體化作明亮的雲霧般的東西，從而展示其全部的神性，這就是聖法蘭西斯能浮在海上飄然行走的原因，因為他的身體已不像我們這樣重，而是

在靈魂的作用下變得輕如薄霧了。

　　不難設想，一個舞蹈家在經過長期訓練、苦修和靈感啟發之後也是可以達到這樣一種程度，即他認識到自己的身體只不過是供靈魂表現的工具罷了，這時，他的身體便會按照一種內在的旋律舞動，而表現出另一個更為玄妙的世界。這才是具有真正創造才能的舞蹈家，是出於自然的而不是出於模仿的舞蹈家。他的動作所表現的是來自他自身的東西，是高於一切自在之物的更偉大的東西。

　　靈魂是能夠被喚醒的，它能完全控制身體，我對此深信不疑。我讓孩子們到我學校裏來就學時，至關重要的一點是先讓他們意識到蘊藏在自身之內的這種力量，讓他們意識到他們和宇宙節奏之間的關係，從而激發起他們心中強大的熱情，激發起這種實際存在著的美的因素。喚醒靈魂有兩條途徑，其一是啟發人內心的自然美感，其二是通過前面說到的第三種作曲家給我們的，那種來自靈魂又面對靈魂的音樂對人加以薰陶。

　　也許，成年人已經把靈魂的聲音給忘記了，但孩子們是聽得懂的。我們只需對他們說：「用你們的靈魂來傾聽這段音樂。注意了，當你們聽的時候，有沒有感到有一種內在的自我在蘇醒？它好像有一種力量，使你們昂首展臂，慢慢地走向光明。你們感到了嗎？」

　　喚醒靈魂是舞蹈訓練的第一步，至少我是這樣理解的。

　　每當我做著動作和姿勢開始跳舞時，狂喜的靈魂總是在自覺地控制著我的身體。有人想模仿我，但殊不知，想這樣做必須先回到起點，就是說先要在他們自己心裏發現某種東西。我在許多劇場和學校看過這些舞蹈家跳舞。她們僅僅憑著頭腦的理解在跳，各種各樣的姿

勢把她們的舞蹈弄得繁複不堪；他們的動作是空洞的，呆板的，缺乏意義的。他們單憑著毫無靈感也毫無生氣的意識編造出動作。那些舞蹈體系（如達爾克羅茲體系等）的情況也是如此，它們僅僅是一種邏輯上的理解活動，只不過是在編制體操動作而已。在我看來，對沒有自我防禦能力的天真純潔的孩子施行這種有害於他們身心的訓練，簡直就是犯罪!因為，教孩子把自己正在成長的身體置於理智的嚴格控制之下也就是在扼殺他們的熱情和靈感，這無疑是一種罪行！

　　能成功地保障孩子身體健康發展的唯一力量就是生氣勃勃的靈魂。

　　（選自張木楠譯，劉文榮校《鄧肯論舞蹈藝術》，上海文藝出版社1985 年版）

編選說明 ● ● ●

　　伊莎朵拉・鄧肯（Isadora Duncan，1878-1927），現代文明史上最負盛名的舞蹈家，被現代舞各派公認為「現代舞蹈之母」。她早年學過芭蕾，但她認為純技巧的芭蕾訓練束縛人體的靈性，於是在動作和服裝上大膽改革，創立了一種動作自然、形式活潑的自由舞蹈，還形成了她自己的一套崇尚自然、崇尚希臘藝術的舞蹈理論。為了實現自己的舞蹈審美理想，她第一個打破古典芭蕾的禁宮，拋棄流行於當時舞蹈界的緊身衣和足尖鞋，赤足登臺，自由起舞，把舞蹈恢復到了純真自然的境地。鄧肯的舞蹈，表達了不少 20 世紀初西方正在萌芽

的多種進步思想，包括現代化的觀念和女性的解放。當時傑出的藝術
家羅丹、斯坦尼斯拉夫斯基、鄧南遮等都異口同聲地稱她為「世界上
最偉大的女性」、「新時代的曙光」。

約翰・馬丁

對舞蹈的反應

　　舞蹈演員的動作不可避免地要帶上感情的內涵；除非他的神經系統出了毛病，否則他是不能完成任何種類的動作的（即使是動作出了毛病，抽搐或某種其它形式的運動失控也可能看上去奇異可笑，因為它暗含的意思明顯地與當時的場合不符）。沒有與生活經驗的確定關係，任何人體動作都是不可能的，即使是隨便或漫不經心的動作也不例外。

　　既然我們的肌肉會對建築的品質和石頭的姿態做出反應，那麼很清楚，我們就會對完全與我們自己相像的身體行為做出更加強有力的反應。我們對於呈現在面前的動作將不再僅僅是觀眾，而且成了參與者，雖然在外表上仍舊安然就座，但我們卻在用自己的整個肌肉組織，通過想像來舞蹈。很自然，這些運動反應會由我們的運動感覺接受器記錄下來，並喚起與最初使舞蹈演員激動起來的那種感情聯繫相似的聯繫來。正是舞蹈演員的全部功能在引導我們用自己的內模仿能力去模仿他的行為，以便使我們能體驗到他的感情。事實，他可以告訴我們，但感情，他卻只能通過同情的行為在我們的心中喚起它們來加以傳達。

　　顯而易見，舞蹈演員或其它藝術家的目的不在於簡單地去喚起我們泛泛的感情，去讓我們沒完沒了地激動，而在於使我們對某種特定

的事物或場合產生特定的感情。他想改變我們對某件事的感情，增加我們的體驗，引導我們從某種他發現只是慣性的或相反是限制人、束縛人的習慣性反應，走向一種對生活有意識的、解放的、善良的新型反應。這樣，他就有必要超出僅使自己進入感情激動狀態，根據一時的狂想而四處亂跳的狀況。他必須組織自己的材料，以便使它能在我們心中引起能夠傳達他的目的的特定反應。只有這樣，他才能向我們的經驗揭示出他所得到的、並且希望我們對某種特定的事物或場合做出的新型反應。

　　他的任務中很重要的一部分要保證向我們展示出，他清醒把握的不僅是自己心中產生的感情狀態，而且是這個事物或場合的本身。前者失去了後者將什麼也告訴不了我們，而無論通過發洩受到壓抑的感情能量，是多麼地有益於舞蹈演員。那麼，由於交流的欲望就產生了形式與藝術的開端的必要性。這個問題需要單獨地加以討論。

　　與此同時，還有一個明顯的矛盾需要排解。本章開始時曾說過，舞蹈或許是所有藝術中最難把握的，而現在又說，對舞蹈的反應是所有藝術反應中最簡單的。其實兩種說法都是真實可信的，並可由第三種說法統一起來，這在前文已有，大致是說，我們對藝術品的整體反應有賴於我們所帶來的與之有關的裝備：我們過去的經驗和現在的期待。我們無權認為，普通觀眾接近舞蹈就不是通過一種極為有效的神經和肌肉系統以及同樣健全的身體結構，也決不應懷疑他具有大量的聯想材料作為背景。問題通常是發現於他現在的期待之上。他去觀看舞蹈表演，尋找的或是敘述故事，或是音樂節奏，或是性的吸引，或是除去運動反應之外的一切期待。很明顯，在這些情況下，舞蹈演員

幾乎不可能給他留下任何印象。音樂，如果我們不去聽，便不會發揮較好的作用。如果我們要去聽一場交響音樂會，而將注意力放在描畫一幅指揮家的手臂動作圖上，或者去記錄起每部作品的音樂節拍總數來，或者去著力研究起音樂廳的牆壁和設備上重新裝飾的效果來，那麼世界最優秀的音樂也只能變成毫無意義的噪音。

　　繪畫也同樣，如果眼睛看著它，只是為了統計不同顏色的數量，估測每種顏色的面積，計算它與整幅繪畫面積的比例，那繪畫就變得徒勞無益了。我們在這裏應該採用正確的，而且的確是僅有的視覺工具，但卻得不到一點對藝術作品的印象。許多人一生對建築毫無感覺，因為他們看到的，只是這裏一扇門，那裏一扇窗，有足夠靠牆的空地去置放鋼琴。他們也是在用正常的器官看，但他們完全看不見什麼建築。

　　而在接近舞蹈時，有必要帶上對動作做出反應的期待和對「內模仿」能力的信賴。因為這很可能會成為一種新的觀念，這在開始，有時候會被證明是困難的；「內模仿」本身的功能足以使人感興趣，以至於它常常成為全部注意力的目標了。在這種情況下，「內模仿」當然要停止發揮作用了，舞蹈幾乎未被人注意到就過去了。然而稍加實踐和堅持，就自然會矯正那種觀看大腿滿臺跑的過度熱情，這樣，舞蹈將開始作為一種動作藝術而發生作用。

（選自〔美〕約翰・馬丁，歐建平譯《舞蹈概論》，文化藝術出版社
2005 年版）

編選說明 ● ● ●

　　約翰 · 馬丁（John Martin，1893-1985），美國舞蹈理論家、批評家。自 1927 年起一直擔任《紐約時報》舞蹈專欄評論家達 35 年之久，寫下大量評論和舞蹈史論專著，為美國現代舞的發展作出了重要貢獻，在美國現代舞蹈發展史上佔有重要地位。文中，作者從審美心理學的角度深入考察了觀眾對舞蹈的反應原理，提出觀眾對舞蹈動作的期待以及對「內模仿」能力的信賴，是觀眾得以欣賞舞蹈的基礎。舞蹈的觀眾們雖然仍舊安然就座，但卻在用自己的整個肌肉組織，通過想像來舞蹈，模仿著舞蹈者的行為，只有這樣才能體驗到舞蹈者的感情表達。

蘇珊‧朗格

舞蹈是一種幻象

　　我所要提出的第一個問題是：舞蹈家創造了什麼？

　　很顯然，舞蹈家創造的是舞蹈。如上所言，舞蹈家並沒有創造出構成舞蹈的物質材料──既沒有創造出舞蹈演員本人的身體，也沒有創造出演員身上所穿的服裝、舞臺地板、周圍空間、燈光照明、樂曲、重力和其它物質設備。演員只是利用了這一切東西，創造出與這些物質事物不同而又高於這些物質事物的東西──舞蹈。

　　那麼，什麼是舞蹈呢？

　　舞蹈是一種形象，也可以把它稱之為一種幻象。它來自於演員的表演，但又與後者不同。事實上，當你在欣賞舞蹈的時候，你並不是在觀看眼前的物質物──往四處奔跑的人、扭動的身體等；你看到的是幾種相互作用著的力。正是憑藉這些力，舞蹈才顯出上舉、前進、退縮或減弱。不管是在單人舞中，還是在集體舞中；不管是在托缽僧舞那激烈的旋轉動作中，還是在它的那些緩慢、有力而又單一的動作中，僅僅靠人的身體，就可以把那種神秘力量的全部變幻展現在你的眼前。然而這些「能」或者說看上去似乎在舞蹈中起作用的那些「力」，並不是由演員的肌肉活動所產生的那些引起實際動作的物理力。我們眼睛看到的這種力（因而也是最可信的力），是為知覺而創造的，因而也是專門為知覺而存在的。

　　任何一種事物，如果它僅僅是為知覺而存在，它就不像自然界中那些一般事物那樣，僅僅只起到一種普通的和被動的作用。這種為知覺而存在的事物是一種虛的實體，說它是虛的，並不意味著它是非真實的，在任何情況下，只要你與它相遇，你就能真正地知覺到它，而不是夢見它或想像到它。例如，我們在鏡子裏看到的東西就是一種虛的形象，一條長虹也是一種虛的形象，它看上去似乎是矗立在大地之上或飄浮在雲朵之間，但事實上它卻是停留在虛無裏，你僅僅能夠看到它，卻不能接觸到它，但它確實是由雨霧和光線相互作用而產生出來的一條光彩奪目的彩虹，任何一個具有正常視力的人站在適當的位置上都能看到它，而不是像夢中那樣看見它。但是，如果我們相信它是一種具有普通物理性質的物質，那我們就錯了。它僅僅是一種幻象，是一個虛的實體，是靠陽光造成的形象。同理，舞蹈演員創造的舞蹈也是一種活躍的力的形象，或者說是一種動態的形象。演員所做的一切都是為了創造出一個能夠使我們真實地看到的東西，而我們實際看到的卻是一種虛的實體。雖然它包含著一切物理實在——地點、重力、人體、肌肉力、肌肉控制以及若干輔助設施（如燈光、聲響、道具等），但是在舞蹈中，這一切全都消失了。一種舞蹈越是完美，我們能從中看到的這些現實物就越少，我們從一個完美的舞蹈中看到、聽到或感覺到的應該是一些虛的實體，是使舞蹈活躍起來的力，是從形象的中心向四周發射的力或從四周向這個中心集聚的力，是這些力的相互衝突和解決，是這些力的起落和節奏變化，所有這一切都是組成創造形象的要素，它們本身不是天然的物質，而是由藝術家人為地創造出來的。

……

傑出的音樂史家和舞蹈史家克爾特・薩哈斯（Gurt Sachs）在其所著的《世界舞蹈史》一書中說道：

令人十分不解的一件事實就是，作為一種高級藝術的舞蹈，在史前期就已經發展起來了。還在文明的初期，它就達到了其它藝術和科學所無法比擬的完美水準。在那個時期，人們普遍過著野蠻的群居生活，人們所創造雕塑和建築還是極原始的，詩歌在這個時期還沒有出現，然而卻創造出了使所有的人類學家都感到吃驚的、難度較大而又很美的舞蹈藝術！他們在這個時期創造的音樂如果脫離了這種舞蹈，那就聽上去什麼也不是，只有伴隨著這種舞蹈，這種音樂才顯得動聽。這是一些對舞蹈十分崇拜的部落，是由「舞蹈家」組成的部落。

但是，一當我們把舞蹈看成是各種相互影響和相互作用的力的幻象時，我們所不能理解的這樣一件神秘的事實也就不神秘了。每一種藝術形象，都是對外部世界某些個別方面的選擇和簡化，都要經受內部世界運動規律的制約和限定，當外部世界中的各個方面被人類逐一選擇和注意到的時候，藝術便產生了。每一種藝術都有自己獨特的再現外部現實的形象，然而這些形象都是為了將內在現實即主觀經驗和情感的對象化而服務的。原始人生活在一個由各種超凡的神靈主宰的世界裏，那些超人或尚未發展成人的生靈，那些具有巨大魔力的神靈

鬼怪，那些像電流一樣隱藏在事物之中的好運氣和壞運氣，都是構成
這個原始世界的主要現實。藝術創造的推動力，這種對所有的人都顯
得十分原始的推動力，首先在周圍這一切神怪的形象之中得到了自己
的形式。那祭壇或圖騰旗杆周圍的魔圈，那「基瓦」（即神廟）之內
的聖區，都是理所當然的跳舞場地。在一個由各種神秘的力量控制的
國土裏，創造出來的第一種形象必然是這樣一種動態的舞蹈形象，對
人類本質所作的首次對象化也必然是舞蹈形象。因此，舞蹈可以說是
人類創造出來的第一種真正的藝術。

（選自〔美〕蘇珊·朗格，滕守堯、朱疆源譯《情感與形式》，中國
社會科學出版社 1986 年版）

編選說明 ● ● ●

　　蘇珊·朗格（Susanne langer，1895-1985），美國最著名的符號
論美學家。她系統地發揮了凱西爾的符號論，使符號論美學自成一
派。何為藝術與何以成為藝術，是蘇珊·朗格傾力探討的問題。她認
為藝術創造即抽象的結果是藝術幻象，幻象是各門藝術的基本構成。
為此，她把每一門藝術看成一個獨立的領域，然後分別找出每一門藝
術創造了什麼。他看到，每一種藝術都有自己獨特的創造物，也即每
一種藝術都有自己的基本幻象。對藝術幻象的高度重視，體現在其傾
注四年心血完成的《情感與形式》一書中，她用了近五分之四的篇幅
探討了藝術幻象問題。在本篇中，蘇珊·朗格首先指出，藝術哲學中

最為關鍵和最引人注目的問題，是有關「創造」的含義的問題。她圍繞舞蹈藝術的創造提出並回答了一連串的問題：舞蹈家創造了什麼？這個形象創造出來又是為了什麼？舞蹈是怎樣被創造出來的？由此看到舞蹈的幻象也即舞蹈區別於其它藝術門類的獨特性，在於它創造的是一種相互作用的力場。蘇珊·朗格不同於先驗哲學家從邏輯推理來得出藝術的定義，堅持對各種藝術進行具體分析，頗具趣味與閱讀價值。

格什溫

民間音樂是音樂繁榮的源泉

　　在過去，其它國家中的偉大音樂總是建立在民間音樂基礎上的。這是音樂繁榮昌盛的最強大的源泉。美國就是這些國家中的一個。現在創作出來的最好的音樂都是以民間音樂為源泉的。人們不大認識到美國也有民間音樂，它不僅有民間音樂，而且還有許多不同的民間音樂。美國地域廣大，各種不同的民間音樂在各地都已蓬勃興起。這些民間音樂不僅都是健康的，而且還具有可能發展成藝術音樂的基礎。因此，我認為，一些獨特鮮明的風格在美國是有可能得到發展和成長的，因為這些風格都是從各地民間音樂中孕育出來的。爵士音樂、拉格泰姆（ragtime，起源於早期黑人樂團所用的曲調以及美國新奧爾良市馬路遊行隊伍中常用之進行曲）、黑人聖歌、布魯斯、南方山歌、鄉間小調和牧歌都可用來創作美國的藝術音樂，而今天許多作曲家也確確實實在使用這些東西。這些作曲家肯定能創作出一些有價值的作品來，如果他們有天賦、才能和情感去發展這些豐富的素材的話。還有一些作曲家，可以說是貨真價實的美國作曲家，他們不利用民間音樂作為他們創作的基礎，他們生活在美國，工作在美國，自己已發展形成了一些高雅的、個性鮮明的音樂風格和創作方法。他們新發現的素材應該稱作為「美國式的」，就像一個發明創造一樣，由於它是一個美國人發明創造的，因而應稱之為美國的。

　　我認為爵士音樂是美國的一種民間音樂，而且還是一種融化在美國人民血液裏的感情中的雄渾有力的民間音樂。這是其它任何風格的民間音樂所不能企及的。我認為，一個有創作爵士音樂和交響樂天賦和才能的作曲家能使爵士音樂成為嚴肅的、具有永恆價值的交響樂的基礎。

　　從美學角度來講，要測定爵士音樂究竟貢獻出了多少不朽的價值，這是比較困難的。因為「爵士」這個詞是五六種不同音樂的總稱。它實質上是許多音樂的混合物，其中有一點拉格泰姆、有一點布魯斯、有一點古典主義、還有一點聖歌因素。最基本的東西還是節奏。除了重要的節奏外，還有音程──節奏特有的音樂音程。總之，在音樂中，它沒有什麼新的東西。幾年前我說過，不同國家的音樂是沒有多少差別的。有的只是那一點點獨特的風格。一個國家也許更喜歡一個特別的節奏，或音符，比如，第七音符。哪個國家著重強調這一點，那這一點就是那個國家的特色。在美國，這種受人喜愛的節奏就叫做爵士。爵士是音樂，它使用的音符和巴赫使用的音符是一樣的。當爵士音樂在另一個國家演奏時，人們就管它叫美國爵士音樂，而且音調演奏得也多半不准。爵士音樂是美國人民能量爆發的結果。這種音樂生機勃勃、喧囂無常、甚至還有點庸俗的味道。爵士音樂由於表現了我們自己，所以，它對美國貢獻出了不朽的價值，這是肯定的。它是美國人民取得的獨特成就。它也許不會以爵士面貌永遠流傳下去，但它會以不同的形式給未來的音樂留下它的印記。能永遠流傳下去的音樂是那些既有普遍意義又有民間音樂特色的音樂。其它一切音樂都將不會有生命。毫無疑問，現有的民間音樂和正在創作的民間

音樂都含有爵士音樂的不朽的因素。當然，這僅僅是一個因素，而不是整體。用爵士音樂寫成的整部音樂作品也是不會有生命力的。

（選自陳海東、周國春編，戎林海譯《美國藝術家隨筆》，東方出版社 1998 年版）

編選說明 ● ● ●

喬治‧格什溫（George Gershwin，1898-1937），美國著名音樂家。格什溫是將美國流行音樂和民間音樂，尤其是爵士、布魯斯的材料和手法揉進嚴肅音樂創作的第一人。他使美國爵士樂登上了專業音樂的大雅之堂。一生譜寫過許多具有美國特色的、深受美國人民喜愛的音樂作品。除大量流行歌曲、喜劇音樂和電影音樂外，他的《藍色狂想曲》《F 大調鋼琴協奏曲》《一個美國人在巴黎》《波基與貝絲》等作品都在國際上享有很高聲譽。

科普蘭

現代音樂是我們的音樂

　　在過去 50 年裏，音樂藝術經歷了一場激烈的騷動。各地聽眾對那些名副其實的現代音樂的風格變化及其傾向都感到迷惑不解。由於這些聽眾不太清楚這些革命變化發生的各個不同階段，他們不理解這些變化導致的結果，這是自然的。一般來說，外行聽眾對新型作曲家的主要作品一直是持反對、疑惑或冷漠的態度的。

　　許多年來，有關所謂「現代音樂」的本質問題出現過多種怪誕的意見（出乎人們的想像和意料之外，一些應該比較瞭解這一情況的報刊記者和電臺評論員現在卻還在散播這些奇談怪論）。比如，人們一致認為，新型作曲家是聰明的，但他們的音樂缺乏感情──更糟的是，有人說，新型作曲家有意避開了感情的外表。這當然是純粹的胡說八道。是的，有些現代作品是聰明之作，有的則是枯燥乏味之作，這是大家都承認的事實。但是說當代作曲家特別主張音樂只要理智不要情感，那是不真實的。總的說來，新音樂傳遞出來的感情成分至少不比其它音樂少，只是它感情表現的品質和強度發生了變化而已。

　　還有許多其它不太重要的錯誤觀點也曾流行一時。有人說，現代音樂缺乏旋律，它的節奏結構太複雜，因而產生了巨大的混亂。然而，如果音樂不是由旋律組成的，那它究竟是什麼東西組成的呢？我個人認為，一件音樂作品要獲得生命，主要靠樂曲內容（除個別情況

例外）。至於現代節奏，我認為，說它比較雜亂無章的人本身的節奏感還停頓在比較低下的階段。最後還有一點，人們過去經常責　不協和音——說當代音樂只是一張不和諧音的音網。不過，現在這種抱怨就很少了。這種情況的出現也許是人們經常不斷地聽到一首典型的現代音樂作品而產生的結果。由於慢慢地習慣了不協和音，因而他們也不再對此抱有恐懼感了。因此，每重複聽一遍，人們也就承認不協和音與和諧音一樣純粹是一個相對的東西，現在人們都是依照和絃出現的恰當位置來判斷一切和絃的。

　　總之，這種種責難都表明，音樂藝術是經歷了一場革命的變化。儘管這種革命是在四十多年前發生的，但是，現在仍有一些人還沒有從那場驚恐中恢復過來。音樂一直在變，但他們卻頑固不化、因循守舊。然而，他們內心卻也知道音樂的變化和其它一切藝術的變化一樣，是不可避免的。總之，生活在我們這樣一個時代，我或者任何其它作曲家為什麼要創作那些表現不屬於我們時代的音樂呢？我們努力發現形成我們自己的音樂，這難道就不自然了？我們這樣做，其實只是向貝多芬、瓦格納等革新音樂家學習而已。他們同樣探尋過音樂中新的表現可能性——而且是最後找到了這些可能性。

　　事實上，整個音樂史是一個不斷變化的歷史。歷史上從來就沒有哪一個偉大的作曲家最後留給我們的音樂是與他當初發現的那個音樂是一樣的、一成不變的。巴赫是這樣，莫札特也是這樣；德彪西是這樣，斯特拉文斯基也是這樣。因此，我們可以得出一個結論，音樂近幾年經歷的那個變化階段是不可避免的，是與許多人的想法相反的——是悠久、偉大的音樂傳統不可分割的一部分。

　　不論我們喜歡不喜歡，今天的音樂與 50 年前的音樂是大不一樣的。可以說，現代音樂主要是一種用豐富多彩音樂語言恰到好處地反映我們時代新的客觀精神的表現。它是當今作曲家的音樂——換句話說，是我們的音樂。

（選自陳海東、周國春編，戎林海譯《美國藝術家隨筆》，東方出版社 1998 年版）

編選說明 ●●●

　　艾倫‧科普蘭（Aron Copland，1900-1990），美國著名音樂家。科普蘭強調作曲家的創作要有個性，力求創作有別於歐洲音樂的具有美國風格的音樂。他與同時代的格什溫一樣，是創作具有美國風格的專業音樂的先鋒人物和代表人物。

保羅·亨利·朗

巴赫的音樂

　　不論從哪一個角度研究巴赫，都有巨大的困難擋路。音樂愛好者走進那一座座宏偉的宮殿般的作品時，幾乎無法捉摸它們的佈局和結構，會茫然若失，因為在欣賞那些幾何奇跡般的嚴峻建築之時，會感覺到一陣陣溫柔的詩意侵襲整個身心，這詩意發自那巍峨建築的一絲不苟的精美裝飾。可是當他轉而探索詩意的來源時，只看見一座秩序和邏輯永恆不變的建築的牆和柱。評論家拜倒在那無限的智慧和專業知識面前，熱烈尋找那些噴發出信仰、渴望、欣喜之巨流的管道。但他也被絕對數學和絕對詩意的二元統一所困惑，毫無辦法之下，只好一小節一小節地解剖這些傑作，計數、篩選、歸類，此路不通，就走向另一極端，試圖在每一根線條中讀出其象徵性的含義。學者則從意大利巴羅克和德國主唱者藝術中挖掘巴赫音樂的創造性因素，千方百計把它們焊接，豈知這一切本來就是配得整整齊齊的，他們真是大惑不解。

　　約翰·塞巴斯蒂安·巴赫是文化史上與時代的藝術傾向隔絕的最傑出的例子。和亨德爾熱心提倡時代精神相比，益發震撼人心。巴赫的藝術立足於德國宗教改革的傳統，宗教改革在他身上得到最崇高的彰顯，周圍是一個啟蒙主義的時代。屬於前一個時代的不僅是這位偉大音樂家的藝術，他的整個性格也更接近 17 世紀的人，一個熱誠的

德國新教徒，百折不撓地忠於信仰，一生受它主宰……

　　偉大的古典主義作曲家中凡能接觸這位湯瑪斯學校主唱老人的作品的人，都承認他的偉大。下文就將看到，莫札特和貝多芬通過透徹研究《平均律鍵盤曲集》和《賦格藝術》獲益匪淺。只是他們無緣充分認識巴赫的天才，因為巴赫的作品在南德很少見到。眾所週知，貝多芬多麼熱情地歡呼出版巴赫全集的計劃，雖然這個計劃沒有在貝多芬生前實現。即使是孟德爾松和舒曼，也未能充分瞭解巴赫那奧林匹斯山般的偉大，雖然他們對振興巴赫的藝術起了很大作用。勃拉姆斯或許可以說是唯一得其精髓真諦的人。巴赫的重要性，世人要過一個世紀才醒悟，再要過半個世紀，他的音樂才開始得到廣大聽眾應有的崇敬，奉為「經典之作」。

　　我們尚不能充分估價巴赫在歷史上的地位和他與同時代人的關係。沒有一部寫巴赫的現代專著恰如其分地評價巴赫的前人和同事，一般都以「先驅者」一語把那些偉大的藝術家一筆帶過，沒有一部從現代歷史研究的角度重新審視那個時代。關於巴赫有不少巨著，它們不該受到詆毀，但只是一個開端，現代音樂學應在它們的基礎上繼續前進。第一個以學術研究的武器攻克這一任務的是菲力浦・施皮塔的了不起的巴赫傳記[3]，這是一部令人尊敬的巨著，將永遠是今後的歷史學家研究巴赫用的資料。施皮塔的睿智的卓絕之處是他同時意識到德國巴羅克音樂的偉大，可以說是他發現了布克斯胡德、帕赫貝爾、伯姆和其它許多偉大作曲家。這種真知灼見為許多現代音樂著述家所

3　菲力浦・施皮塔《J.S.巴赫》，萊比錫，卷 1：1873 年；卷 2，1880 年；英譯本，倫敦，1884—1885 年。

未有或未能完全理解。安德雷・皮羅和阿爾貝・施威策的專著[4]是論音樂家巴赫的重要文獻，查理・桑福德・特里的傳記[5]大大加深我們對巴赫其人的瞭解。

　　研究之門仍關得嚴嚴的！千百萬音樂愛好者進不去！誠然，B 小調彌撒曲和兩部受難曲中總有一部由合唱團體演出，每一場鋼琴音樂會上幾乎總彈一兩首巴赫管風琴作品的改編曲。但是，巴赫為之增添光輝而寫了大部分音樂的教會，巴赫以侍奉它為自己畢生事業的教會幾乎根本不理睬他；他的音樂在家庭中也彈得太少。大音樂廳是我們聽巴赫的唯一場所，但這與巴赫的本意不符；相反，這是巴赫唯一沒有為之寫過一首作品的場合。他為教堂、為小型聚會寫作。今天，新教和天主教不用他的音樂，只有在節慶時演出；但是，這樣盛大、貴族氣派的「室內」同這樣的音樂格格不入。不論巴赫的大型作品的公開演出多麼令人難忘，只有那些一邊彈奏眾讚歌、眾讚歌前奏曲、獨奏奏鳴曲和個人能弄到的許多其它作品，一邊靜靜地苦思冥想的人才會識其真容、悟其三昧。

（選自〔美〕保羅・亨利・朗，顧連理等譯，楊燕迪校《西方文明中的音樂》，貴州人民出版社 2009 年版）

4　安德雷・皮羅《約翰・塞巴斯蒂安・巴赫的美學》，巴黎，1907 年。阿爾貝・施威策：《音樂家詩人約翰・塞巴斯蒂安・巴赫》，巴黎，1905 年；德語增訂版，萊比錫，1908 年；後者的英譯本，倫敦，1912 年。
5　查理・桑福德・特里：《J.S.巴赫》，倫敦，1928 年。

編選說明 ● ● ●

　　保羅‧亨利‧朗（Paul Heny Lang，1901-1991），國際知名音樂學家和樂評家。保羅‧亨利‧朗繁忙一生，學術論著豐富，但留給後人的饋贈中最值得稱道的依然是他在 40 歲的盛年發表的鴻篇巨作《西方文明中的音樂》。在這本書中，作者所展示的不是一個專門家細緻周密的考據鉤稽，而是一個不可多得的最高水準的綜闊家在把握時代精神脈搏上的獨到功力，在全方位聯繫各種人文、藝術、精神現象時的雄才大略，在洞察音樂風格和理解音樂思維上的內行眼光，以及在表述文風上的華美修辭。書中花費巨大篇幅談論巴赫的音樂，清楚地交代特點，並且和同時代人、同類而異時的音樂家作出甄別，表現出旺盛的才能和敏銳的辨別力。

小澤徵爾

難忘的音樂家們

　　到了國外，觀摩了各種音樂會。起初我感到有些失望，心想：「怎麼，這和日本那種水準比，不是也差不多嗎？」

　　凡是到國外留學的人，在起初的半年誰都會有這種感覺，可是過了半年以後，就會異口同聲地說：「真不簡單，這些傢伙幹的事，我甚至連想都沒想過。我不管怎樣也趕不上。」

　　奇怪的是能使我們產生這種感慨的人又大多是老年人，而這種人就是以歐洲來說恐怕也只占千分之一，不，也許是幾十萬人當中才有一個音樂家，可是他們那個社會好像隨時都有可能湧現出出類拔萃的人物。我之所以有這種感覺，是因為他們有著在日本已經知名的巴庫郝斯、庫拉拉・哈斯基爾、菲夏・特斯卡、卡拉揚、蒙茲和伯恩斯坦，以及在日本還不大知名的年逾八句的卡爾・修利西特這位老指揮家。這個人有一種奇特的指揮方法，他用那銳利的目光代替指揮棒一掃，好像用眼力就能喚起管絃樂樂隊的聲音來。他從後臺出來一露面，然後邁著搖搖晃晃的腳步走到舞臺中央的指揮臺前站定，這大約需要 5 分鐘時間。這當中觀眾必須不斷鼓掌，都會把手拍紅的。雖然節目不是為婦女們安排的，觀眾中卻也有不少女客。奇怪的是他指揮的音樂使你根本感覺不到年齡上的差異，甚至比那些最年輕的人所指揮的還要顯得年輕，洋溢著飽滿的青春氣息。在這樣的音樂家面前，

我們自然是要俯首致敬的。

　　然而，假如問我在全世界這些音樂家當中最崇拜誰，我必然會回答說是巴庫郝斯和菲夏·特斯卡。理由是這兩人如果開一百次音樂會，他們準有九十九次演奏得一樣完整，一樣出色。簡單地用一句話來說，那就是沒有任何瑕疵可以挑剔。像這樣演出一百次就有九十九次能獲得成功，如果不是具備了高深的藝術修養和高超的技巧，那簡直是不可想像的。尤其是巴庫郝斯更為驚人。有人要問我巴庫郝斯好在什麼地方，我就想這樣說：巴庫郝斯走到舞臺上來的時候，就像在自己家中走到客廳壁爐那裏一樣，就像坐在客廳壁爐邊上那樣坐在鋼琴前面，用一種就像壁爐旁邊跟人家談心那樣的感情，用音樂和聽眾娓娓而談。這樣演奏出來的音樂，才能讓我們感受到是一種真摯的音樂，有誰能不為它那感人至深的魅力而產生共鳴呢？從這種意義上說，我最喜歡巴庫郝斯。

　　說起菲夏·特斯卡，首先，我非常欽佩他那完美無缺的技巧。他給予我們的不單單是一首歌曲、一架鋼琴、一個管絃樂隊，而使人感覺到是一種音樂，一種旋律，以及除了音樂以外別無其它，這實在是很難做到的。我認為不管你用管絃樂隊也好，用自己的聲音也好，或者使用鋼琴也好，只要你能把音樂的共通感情向人們述說清楚，不就是一件很偉大的事情嗎？

　　除此以外，我還認識了不少音樂家。我一直認為，在音樂家當中，怪人是比較多的，但是在一些著名的音樂家中，還是有人過著非常嚴肅、樸素、正規的生活。當然奇特的人比較多，不過，那也絕不只限於音樂界。有的人在喊人的時候從不看對象，見人就喊教授，這

種怪癖豈不也有些可愛嗎？另外，也有那種在會客時，自己躺在一張
長椅子上一動不動的不懂禮貌的音樂家，這種人儘管生活過得很舒
適，但別人對他是不會有什麼好感的。音樂家倘若像銀行和交易所的
老闆那樣去待人，他是不會有什麼客人的。還有人見面時用接吻去代
替問候和寒暄，這在外國是不乏其人的，所以，誰也不以為奇。還有
在排練時一連提二十來次褲子，摸二、三十次鼻子尖的人。除了這些
還有稍不稱心就摘下眼鏡用手帕去擦鏡片的，稱心時就擤一下鼻子、
點火抽煙的人，如此等等，真是千差萬別。可是，不論是誰都在認真
地做人，並過著嚴肅的生活。

　　因為國情的不同，也有很大的差別。卡拉揚為人高尚、坦率而親
切，然而在他的偉大之中，不知道在什麼地方總帶著一種獨特的風
格，那是很使人傷腦筋的。因此，當他邀請我說：

　　「走，吃飯去！」

　　「好！」可是心裏並不這樣想。

　　在這一點上，伯恩斯坦卻不同，當他說：

　　「走，徵爾，該吃飯了！」

　　「好啊！」我馬上就會興高采烈地回答他。心想著：「好極了！
今天總會有什麼好吃的東西。」

　　巴黎的音樂家都比較坦率，吃飯的時候，又都挺能聊天，就像是
為了聊天才去吃飯似的。但在那個時候，他們決不會靈機一動就突然
地對你說：「請到我家來吃飯吧！」因為他們今天請誰，明天請誰，
準備往桌子上端什麼菜，都是事先在日程表上安排好了的，都是按計
劃辦事的。他們決不會像美國人那樣在排練之後，一時心血來潮就對

你說：「哎！到我家去吃飯吧！」於是就邀請你去吃飯。他們的夫人也是這樣，如果哪一家男主人突然破例地帶了客人回家來吃飯，那是非要大吵大鬧一場不可的。而且第二天這家男主人的臉上肯定會帶兩三塊青斑的。在巴黎，如果有人請你吃飯，你還必須穿件白襯衣去。

在歐洲，法國和德國不管在哪方面都有很大的差別，美國那就更不相同了。一般所說的美國人，其中就有法國人、德國人和俄羅斯人。因此，我以為他們總會在某種程度上保留著德國、法國的影響，等我抱著這想法到美國一看，雖並非毫無蹤跡，但也幾乎無法覺察了。他們又都帶著明顯的一種天生的美國味道。那麼，這美國味道究竟是種什麼味道呢？它同音樂又是怎樣結合的呢？對此，籠統地說似乎有所瞭解，但具體地講還是不很清楚。像我這樣的一個旅客，怎麼可能把一個不知經過幾十年幾百年的歷史進程逐漸培育起來的美國一下子就認識清楚了呢？我如今所瞭解到的，就是她比我至今所到過的其它國家生活得更幸福。不管是吃飯、喝酒，或者是坐飛機、找廁所，他們的那種熱情和不拘形式的風格，都使我深為感動。他們在任何方面都擺脫了舊時代古板的影響，確實像一個遷到新大陸來的新民族那樣過著一種明朗和融洽的生活。對一個旅行者來說，美國不是最應該去的地方嗎？

（選自〔日〕小澤徵爾，范禹、鍾明譯《指揮生涯──我的遊學隨筆》，上海文藝出版社 1981 年版）

編選說明 ● ● ●

　　小澤徵爾（1935- ），日本指揮家。他的指揮明快，從容不迫，具有敏銳的節奏感和色彩感。他是當今國際著名音樂指揮之一。曾多次訪問我國，並指揮中央樂團演奏。

布萊希特

歐洲人看中國戲劇表演

　　中國戲曲演員的表演，除了圍繞他的三堵牆之外，並不存在第四堵牆。他使人得到的印象，他的表演在被人觀看。這種表演立即背離了歐洲舞臺上的一種特定的幻覺。觀眾作為觀察者對舞臺上實際發生的事情不可能產生視而不見的幻覺。歐洲舞臺上已經發展起來的一系列豐富的技巧，把演員隱藏在四堵牆中，而各種場面安排又讓觀眾看清楚，這種技巧就顯得多餘了。中國戲曲演員總是選擇一個最能向觀眾表現自己的位置，就像賣武藝人一般。另一個方法就是演員目視自己的動作。譬如：表現一朵雲彩，演員表演它突然出現，由輕淡而發展成為濃厚，表演它的迅速的漸變過程，演員看著觀眾，彷彿問道：難道不正是這樣的嗎？但是演員同時看著自己的手和腳的動作，這些動作起著描繪檢驗的作用，最後也許是在讚美。演員清晰的目光看著地面，舞臺為他提供的藝術創造的空間大小並不存在什麼破壞演員想像力的東西。演員把表情（觀察的表演）和動作（雲彩的表演）區分開來，動作不因此而失真，因為演員的形體姿勢反轉過來影響他的臉部表情，從而使演員獲得他的全部表現力。這樣，他就得到一種成功的有控制的表現力，一種完美的勝利！演員借助他的形體動作描繪出臉部表情。

　　演員力求使自己出現在觀眾面前是陌生的，甚至使觀眾感到意

外。他所以能夠達到這個目的，是因為他用奇異的目光看待自己和自己的表演。這樣一來，他所表演的東西就使人有點兒驚愕。這種藝術使平日司空見慣的事物從理所當然的範疇裏提高到新的境界。

　　……

　　中國戲曲演員的表演對西方演員來說會感到很冷靜的。這不是中國戲曲拋棄感情的表現！演員表演著巨大熱情的故事，但他的表演不流於狂熱急躁。在表演人物內心深處激動的瞬間，演員的嘴唇咬著一綹髮辮，顫動著。但這好像一種程序慣例，缺乏奔放的感情。很明顯這是在通過另一個人來重述一個事件，當然，這是一種藝術化的描繪。表演者表現出這個人已經脫離了自我，他顯示出他的外部特徵。這樣恰如其分地表現的脫離自我，或許也有不合適的地方，那就是舞臺所不需要的。無論如何，從大量的標誌當中選擇特殊的東西，顯然是要經過深思熟慮的。憤怒自然和不平有區別，憎恨和厭惡也不同，愛情和同情又是兩回事，但這許多不同的感情動作都是簡樸地表演出來的。演員表演時處於冷靜狀態，如上所述乃是由於演員與被表現的形象保持著一定的距離，力求避免將自己的感情變為觀眾的感情。誰也沒有受到他所表演的人物的強迫；坐著的不是觀眾，卻像是親近的鄰居。

　　西方的演員則用盡一切辦法，盡可能地引導他的觀眾接近被表現的事件和被表現的人物。為了達到這個目的，演員讓觀眾與自己的感情融合為一，並用盡他的一切力量將他本人儘量無保留地變成另一個人，即他所演的劇中人物。當這種毫無保留地變成另一個人的表演獲得成功的時候，演員的藝術就差不多耗盡了。演員一旦變成了被表現

的銀行出納員、醫生或者將軍，這樣他所需要的藝術本領就像「生活當中」的銀行出納員、醫生或將軍那樣少。這種毫無保留地變成另一個人的表演是非常艱苦的。斯坦尼斯拉夫斯基提出了一系列藝術方法，提出了整個體系，憑藉他稱之為創造情緒的這類東西，強制演員在每次演出中不斷產生新的情緒。對一個演員來說，在一般情況下很難持久地作為另一個人來感覺。這樣他很快就開始感到精疲力竭，而只能在一定的姿勢的外部動作中和聲調上去模擬另一個人，這樣一來，在觀眾中引起的效果就要可怕地被減弱了。毫無疑問，這是由於創造另一個人是一種「直覺」的，亦即一種模糊狀態的行動，是在下意識中進行的，而下意識的控製作用是極其微弱的：這就是所謂的一種拙劣的記憶。

中國戲曲演員不存在這些困難，他拋棄這種完全的轉化。從開始起他就控制自己不要和被表現的人物完全融合在一起。他用什麼藝術手段做到這一點呢？他只需要一點兒幻想。他所表現的東西，即使對一個不善於思考的人也是值得一看的。有哪一位沿襲老一套的西方演員（這一個或另一個喜劇演員除外）能夠像中國戲曲演員梅蘭芳那樣，穿著男裝便服，在一間沒有特殊燈光照明的房間裏，在一群專家的圍繞中間表演他的戲劇藝術的片斷呢？譬如說，能夠表演李爾王分配遺產或奧賽羅發現手帕嗎？如果他那樣做，將會產生像一年一度的集市上魔術師玩把戲的效果，沒有一個看過他一次魔術以後還想再看第二遍。他所表演的，僅是一種騙人的把戲而已。催眠狀態過後，剩下來的就是一些糟糕透的無動於衷的表情，一種匆促摻拌起來的商品，在黑夜裏售給匆匆趕路的顧客。當然，沒有一個西方演員會這樣

把自己的貨色陳列出來的。藝術的神聖在哪兒呢？是轉化的神秘教義嗎？他認為有價值的東西是不自覺地做出來的，否則將會失去價值。與亞洲戲劇藝術相比，我們的藝術還拘禁在僧侶的桎梏之中。誠然，我們的演員們越來越難於完成這種神秘的毫無保留的轉化，他們的下意識的記憶將日益減弱。這樣即使是一個秉有天賦的人，在損害直覺的情況下，作為階級社會中一個成員，他也幾乎不可能去吸取真理。

……

當我們歐洲人看中國人表演的時候，首先將遇到一個困難，就是要從他們的表演所引起的驚愕感情中解脫出來。人們必須明白，他們的表演在中國觀眾中也會引起陌生化效果。無須否認，更其困難的是，當中國戲曲演員創造出一個神秘的印象，而他卻不想為我們揭開它的謎底。他從自然界許多神秘中（特別是人的秘密），造成他自己的秘密，他不讓你看出他是怎樣把自然現象顯示出來的；同時，即使他對自然界的現象還沒有深入認識，他就被允許去顯示自然了。我們站在一種原始技巧，一種科學初級階段的藝術表現面前。中國戲曲演員像從魔術的符籙裏獲得他的陌生化效果。「這是怎麼做出來的呢？」這卻仍然不可思議，知識是詭秘的東西，它在細心照料並從其秘密當中汲取好處的人的手中，就顯得更加微小；然而當我們在這個問題上已經深入到自然現象裏去，這種創造的才能就提出了問題，而在未來，研究家就得辛勤地去探索這些自然現象，並使它變成能夠被人們理解和控制、通俗易懂的東西。對事物首先得具有探究的立場，事物之所以顯得不可思議，難以理解和不可掌握，原因即在於此。中國的戲曲演員使自己置身於驚愕狀態之中，並去運用陌生化效果。認為

「二乘二等於四」的公式是理所當然的人，不是一個數學家，他還是一個並不理解這個公式的人。一個人當他第一次看見一根繩子弔著一盞燈在搖擺著的時候，他會驚奇地觀看它，而且不明白其中的道理，感到非常奇怪。燈為什麼擺呢？為什麼它偏偏這樣搖擺而不那樣搖擺呢？這種追問探索使他逐步接近對自然現象的理解，從而最後支配它。不要簡單地張口叫喊：「你說的這種態度只適合於科學，而不適合於藝術。」為什麼藝術就不能以它自己的辦法，去探索為支配生活的偉大社會任務服務呢？

（選自〔德〕布萊希特，丁揚忠譯《中國戲劇表演藝術中的陌生化效果》，載《戲劇學習》1979 年第 2 期）

編選説明 ●●●

　　貝托特‧布萊希特（Bertolt Brecht，1898-1956），德國著名戲劇家和詩人，國際傑出的和平戰士。曾參加過德國工人運動和反法西斯鬥爭。通過長期的創作和導演實踐，創立了一整套「史詩劇」理論。布萊希特十分讚賞中國戲曲，1935 年在莫斯科觀看了梅蘭芳的演出後，次年便寫了《中國戲劇表演藝術中的陌生化效果》一文，論述他對戲曲表演方法的觀感。「陌生化效果」又譯間離效果或間情法，是布氏戲劇理論中的獨創術語，有多種內涵，它作為一種表演方法，包含著辯證地處理演員、角色、觀眾三者間關係及舞臺美術原則、藝術效果等內容。布氏認為這是中國戲曲表演藝術的顯著特徵。

戰國

樂記

原文 ● ● ●

　　凡音[1] 之起，由人心[2] 生也。人心之動，物[3] 使之然也。感[4] 於物而動，故形於聲[5]。聲相應[6]，故生變，變成方[7]，謂之音。比音而樂之[8]，及干戚羽旄[9]，謂之樂[10]。

　　樂者，音之所由生也；其本[11] 在人心之感於物也。是故其哀心[12] 感者，其聲噍以殺[13]；其樂心感者，其聲嘽以緩[14]；其喜心感者，其聲發以散[15]；其怒心感者，其聲粗以厲[16]；其敬心感者，其聲直以廉[17]；其愛心感者，其聲和以柔：六者非性[18] 也，感於物而後動。

　　是故先王[19] 慎所以感之者：故禮[20] 以導其志，樂以和[21] 其聲，政以一其行，刑以防其姦。禮樂刑政，其極[22] 一也，所以同民心而出治道[23] 也。

　　凡音者，生人心者也。情動於中[24]，故形於聲；聲成文[25]，謂之音。是故治世之音安，以樂其政和[26]；亂世之音怨，以怒其政乖[27]；亡國之音哀，以思[28] 其民困。聲音之道，與政通矣⋯⋯

（選自吉聯杭譯注，陰法魯校訂《樂記》，人民音樂出版社 1980 年版）

注釋 ● ● ●

〔1〕音：《樂記》中的「音」，是與「聲」、「樂」相對而言，指曲調。〔2〕心：《樂記》中所說的「心」，與現在所說的思維器官不同，它是指生來就具有感情、理智和道德的器官。〔3〕物：外界事物。〔4〕感：感應。這句是說感受了外界事物，人心活動起來，作出反應。〔5〕形：表現。聲，這是指樂音。〔6〕相應：互相應和。〔7〕成方：指構成曲調。〔8〕比：隨，按。樂：演奏，演唱。〔9〕及：配合。干戚羽旄：干是盾，戚是斧，均為古代武舞的道具。羽指野雞毛，旄是旄牛（一種長毛牛）尾，古代文舞的道具。此處「干戚羽旄」概指舞蹈。〔10〕樂：《樂記》中的「樂」，常指音樂、舞蹈、詩歌三統一體的綜合性藝術，有時也單指音樂。此處為前者。〔11〕本：本源，根源。〔12〕哀心：悲哀的感情。〔13〕噍以殺：憂戚而急促。〔14〕嘽以緩：寬舒而和緩。〔15〕發以散：開朗而自由。〔16〕粗以厲：粗暴而嚴厲。〔17〕直以廉：正直而莊重。〔18〕性：人的本性。〔19〕先王：前代的帝王。〔20〕禮：指儒家所提倡的等級制度、倫理道德以及與此相聯繫的禮節、儀式等。其：指人民。〔21〕和：調和。〔22〕極：指最終目的。〔23〕治道：太平的世道。〔24〕中：指內心。〔25〕文：文采，這裏指一定的組織（即曲調）。〔26〕和：和順，君臣上下和順有序。〔27〕乖：反常，君臣上下失序，不和順。〔28〕思：愁思，憂慮。

編選說明 ● ● ●

　　《樂記》是中國古代第一部相當系統地論述音樂的本源、作用和音樂美感等有關音樂理論中幾個根本性問題的專門著作。其成書年代約在公元前 3 世紀的戰國末期。今存《樂記》是指《禮記‧樂記》所保存的 11 篇，《樂記》是《禮記》49 篇中的一篇，約 5000 餘字，包括 11 子篇：《樂本篇》《樂論篇》《樂禮篇》《樂施篇》《樂言篇》《樂象篇》《樂情篇》《魏文侯篇》《賓牟賈篇》《樂化篇》《師乙篇》。本篇所選為《樂本篇》。《樂記》明確地認識到，音樂既是聲音的藝術，也是感情的藝術，而且認識到音樂是以樂音運動表現人心之動的藝術，認識到音樂既具有社會性的特徵，又體現宇宙的和諧，代表了儒家的音樂觀。其豐富的美學思想對兩千多年來中國音樂的發展有著深刻的影響。

李漁

閒情偶寄

原文 ●●●

詞曲部・結構第一

至於結構二字，則在引商刻羽[1] 之先，拈韻抽毫[2] 之始。如造物[3] 之賦形[4]，當其精血初凝，胞胎未就，先為制定全形，使點血而具五官百骸之勢。倘先無成局，而由頂及踵[5]，逐段滋生，則人之一身，當有無數斷續之痕，而血氣為之中阻矣。工師之建宅亦然。基址初平，間架未立，先籌何處建廳，何方開戶，棟需何木，梁用何材，必俟[6] 成局了然，始可揮斤[7] 運斧。倘造成一架而後再籌一架，則便於前者，不便於後，勢必改而就之，未成先毀，猶之築捨道旁，兼數宅之匠資[8]，不足供一廳一堂之用矣。故作傳奇[9] 者，不宜卒急拈毫[10]，袖手於前[11]，始能疾書於後。有奇事，方有奇文，未有命題不佳[12]，而能出其錦心，揚為繡口者也。嘗讀時髦所撰[13]，惜其慘澹經營，用心良苦，而不得被管絃、副優孟[14] 者，非審音協律之難，而結構全部規模之未善也。

（選自周舸岷選注《古代文論名篇選注譯析》，河南大學出版社 1991 年版）

注釋 ●●●

〔1〕引商刻羽：商、羽為五音之一。引商刻羽，指講究音律。
〔2〕拈韻抽毫：選定韻部，動筆寫作。〔3〕造物：大自然。〔4〕賦
形：授於形體。〔5〕蹝：腳。〔6〕俟：等待。〔7〕斤：斧頭。這句
是指動工建築。〔8〕匠貲：工匠的費用。〔9〕傳奇：明清以唱南曲
為主的劇種為傳奇，後也兼指北曲。〔10〕卒急拈毫：倉促動筆。
卒：倉促。〔11〕袖手於前：這裏是說在動筆之前先作冷靜構思。
〔12〕命題不佳：沒選擇一個好的題材。〔13〕時髦所撰：現時人的
著作。〔14〕不得被管絃、副優孟：不能譜成樂章，交付藝人演出。
管絃，樂器。優孟，本是春秋時楚國的一個優人，後作為藝人的代
稱。

編選説明 ●●●

李漁（1617-1679 或 1680），清初著名的劇作家和戲劇理論家。
所著《閒情偶寄》一書，內容博雜，是李漁自己非常看重的一部書
（見《與龔芝麓大宗伯》《與劉使君》）。這部雜作包括戲曲、飲食、
建築、園林等方面的內容，反映出他的文藝素養和生活趣味。其中
「詞曲部」和「演習部」，對戲曲結構、詞采、音律、賓白、科諢、
格局等問題進行了系統的論述。李漁的貢獻，就在於以自己多年寫劇
和率家庭戲班從事實際演出的經驗為基礎，參照前人的成果，形成了

一個比較完整的戲曲理論體系，是中國古典戲曲理論的集大成，對後世影響甚大。李漁論戲曲，把「結構」（這裏指全劇的構思佈局，與現在所指情節關係的「結構」意思有所不同）放在首位，這和前人首重音律（歌唱的美）或首重辭采（文字的美）就有明顯的不同。其中諸多論點，也都能切合戲劇藝術的特性，且簡明實用。

王國維

元劇之文章

　　元曲之佳處何在？一言以蔽之，曰：自然而已矣。古今之大文學，無不以自然勝，而莫著於元曲。蓋元劇之作者，其人均非有名位學問也；其作劇也，非有藏之名山，傳之其人之意也。彼以意興之所至為之，以自娛娛人。關目之拙劣，所不問也；思想之卑陋，所不諱也；人物之矛盾，所不顧也。彼但摹寫其胸中之感想，與時代之情狀，而真摯之理，與秀傑之氣，時流露於其間。故謂元曲為中國最自然之文學，無不可也。若其文字之自然，則又為其必然之結果，抑其次也。

　　明以後傳奇，無非喜劇，而元則有悲劇在其中。就其存者言之，如《漢宮秋》、《梧桐雨》、《西蜀夢》、《火燒介子推》、《張千替殺妻》等，初無所謂先離後合、始困終亨之事也。其最有悲劇之性質者，則如關漢卿之《竇娥冤》，紀君祥之《趙氏孤兒》，劇中雖有惡人交構其間，而其蹈湯赴火者，仍出於其主人翁之意志，即列之於世界大悲劇中，亦無愧色也。

　　元劇關目之拙，固不待言。此由當日未嘗重視此事，故往往互相蹈襲，或草草為之。然如武漢臣之《老生兒》，關漢卿之《救風塵》，其布置結構，亦極意匠慘澹之致，寧較後世之傳奇，有憂無劣也。

　　然元劇最佳之處，不在其思想結構，而在其文章。其文章之妙，

亦一言以蔽之，曰：有意境而已矣。何以謂之有意境？曰：寫情則沁人心脾，寫景則在人耳目，述事則如其口出是也。古詩詞之佳者無不如是，元曲亦然。明以後，其思想結構盡有勝於前人者，唯意境則為元人所獨擅。

古代文學之形容事物也，率用古語，其用俗語者絕無。又所用之字數亦不甚多。獨元曲以許用襯字故，故輒以許多俗語或以自然之聲音形容之。此自古文學上所未有也。

……

元代曲家，自明以來，稱關馬鄭白。然以其年代及造詣論之，寧稱關白馬鄭為妥也。關漢卿一空倚傍，自鑄偉詞，而其言曲盡人情，字字本色，故當為元人第一。白仁甫、馬東籬，高華雄渾，情深文明。鄭德輝清麗芊綿，自成馨逸。均不失為第一流。其餘曲家，均在四家範圍內。唯宮大用瘦硬通神，獨樹一幟。以唐詩喻之：則漢卿似白樂天，仁甫似劉夢得，東籬似李義山，德輝似溫飛卿，而大用則似韓昌黎。以宋詞喻之：則漢卿似柳耆卿，仁甫似蘇東坡，東籬似歐陽永叔，德輝似秦少游，大用似張子野。雖地位不必同，而品格則略相似也。明寧獻王曲品，躋馬致遠於第一，而抑漢卿於第十。蓋元中葉以後，曲家多祖馬、鄭，而祧漢卿，故寧王之評如是。其實非篤論也。

元劇自文章上言之。憂足以當一代之文學。又以其自然故，故能寫當時政治及社會之情狀，足以供史家論世之資者不少。又曲中多用俗語，故宋金元三朝遺語，所存甚多。輯而存之，理而董之，自足為一專書。此又言語學上之事，而非此書之所有事也。

（選自王國維《宋元戲曲史》，上海古籍出版社 1998 年版）

編選説明 ● ● ●

　　王國維（1877-1927），中國近代著名學者、戲曲史家。他對哲學、教育、文學、戲曲、美學、史學、文字學和考古學各方面均有著述。其中《宋元戲曲史》是他在戲曲研究上的帶總結性的最重要的著作。這些著作，開啟了 20 世紀中國戲曲研究的風氣，為建立中國戲劇史學作出了開創性的貢獻。《宋元戲曲史》以宋元戲曲作為主要研究對象，全面考察，尋根溯源，回答了中國戲劇藝術的特徵，中國戲劇的起源和形成，中國戲曲文學的成就等一些戲曲史研究中帶根本性的問題。他把元雜劇作為中國戲曲的最高成就進行研究，因而著墨最多最細。他以前人未曾有過的新的視角審視元雜劇，對作品的評論有許多創新的獨特的話語，其見解常常令人耳目為之一新。

梅蘭芳

中國京劇的表演藝術

　　京劇並不是在北京土生土長的戲曲，它原是安徽、湖北幾種地方戲，到北京來演出受到觀眾的歡迎，有了基礎，站住了腳，同時吸收了崑曲、高腔、梆子等劇種的精華，然後發展成長起來的。它是一種比較突出的綜合性的戲曲藝術。它不僅是一般地綜合了音樂、舞蹈、美術、文學等因素的戲劇形式，而且是把歌唱、舞蹈、詩文、念白、武打、音樂伴奏以及人物造型（如扮相、穿著等）、砌末道具等緊密地、巧妙地綜合在一起的特殊的戲劇形式。這種綜合性的特點主要是通過演員體現出來的，因而京劇舞臺藝術中以演員為中心的特點，更加突出。

　　由於劇中人物的性別、年齡、性格、身份的不同，就產生了所謂角色的分行。京劇的角色過去分得很細，後來簡化為生、旦、淨、丑四門。每一門還包括各種類型的人物：如生角中又分老生、小生、武生、武老生、紅生；武生中又分長靠武生、短打武生等。生、旦是淨臉，淨、丑則有臉譜。其唱腔、念白、動作和服裝、扮相、道具都有嚴密的組織和特點。京劇的表演藝術，是高度集中、誇張的；它以表演藝術為中心，具有強烈節奏感的唱腔、音樂伴奏，寬大的服裝、水袖、長鬍子、厚底靴、臉譜以及象徵性的馬鞭、船槳等道具，彼此都有密切的有機聯繫，而且是自成體系的。京劇上下場的分場方法和虛

擬手法，使演員的表演可以減少時間、空間的限制，這給劇作者、導演和演員以很大便利。他們可以選擇最能再現人物和戲劇矛盾的環境，可以用大場子，也可以用小的「過場」，使演員能充分運用歌唱、念白、舞蹈等各種因素創造角色。記得一九三五年我第一次到蘇聯演出時，聶米洛維奇‧丹欽科同志對我說：「我看了中國戲，感覺到合乎『舞臺經濟』的原則。」他所指的「舞臺經濟」是包括全部表演藝術的時間、空間和服裝、道具等等在內的。他的話恰好道出中國戲曲──尤其是京劇的特點。

……

中國的觀眾除去要看劇中的故事內容而外，更著重看表演。這因為故事內容是要通過人來表現的。《將相和》、《空城計》、《秦香蓮》、《拾玉鐲》、《白蛇傳》、《鬧天宮》等傳統劇碼，在全國各地都普遍演出，群眾的愛好程度，往往決定於演員的技術。演員不但要從幼年受到正規訓練，掌握所擔任的角色的全部技術──程序──達到準確靈活的程度，還必須根據劇本所規定的情節，充分表達劇中人的思想、感情，以引起觀眾的共鳴。

中國戲的角色，前面簡單說過，分為生、旦、淨、丑四門，四門當中又分出各種類型的人物，每種角色都有一定的表演法則，大致可分為五類：口、眼、手、步、身。

口──唱和說白，都要求清晰準確，包含豐富的感情和音樂性。

眼──是傳達思想感情的主帥。演員出臺後，觀眾首先看到的是演員的面部，面部當中，必先接觸到眼光，一個有本領的演員往往能使全場幾千隻眼睛隨著自己的眼睛轉動。

　　手——運用手的姿勢，表達喜、怒、哀、樂的複雜感情和各種生活動作，而成為優美的舞式。

　　步——戲曲界稱走臺步為百鍊之祖，是練習身段最基本的工夫，動作的好看與否，決定於步法是否穩重、準確。

　　身——包括腰、腿、肩、肘等部分，腰、腿尤為重要，凡是一個演員都知道形體的鍛鍊，要求肌肉鬆弛，但這句話極容易誤解為鬆懈不使勁，好像一件衣服掛在衣架上那樣的鬆弛就糟了。中國戲的形體鍛鍊，要求勁頭在全身各部暢通無阻，能提能放。有經驗的表演家常說不能使「勁」、「濁勁」，而要用「巧勁」，因此，必須把全身的肌肉、關節都鍛鍊到能夠靈活操縱，具有鬆緊自如的彈性，才能隨心所欲地、變化無窮地發揮巧妙的勁頭。

　　以上這五項基本工夫，是每種角色都必須經過的嚴格的鍛鍊。在表演時，配合音樂節奏，使全身的動作與發音，成為一個整體的東西，以準確地表達劇中人不同的思想感情，但又不是機械地拼湊，而是有機地聯繫起來，結合著不同的角色進行創造。

　　　　　　　　（選自《梅蘭芳文集》，中國戲劇出版社 1981 年版）

編選說明 ●●●

　　梅蘭芳（1894-1961），中國當代著名京劇表演藝術家。在長期的舞臺演出實踐中，對唱腔、念白、舞蹈、音樂、服裝、化妝各方面都不斷進行革新創造，形成獨樹一幟的「梅派」藝術。梅蘭芳以自己精

湛的藝術和對祖國文化的赤誠之心，使中國戲劇藝術走向世界，並使之立於世界戲劇之林而毫無愧色。梅蘭芳認為中國戲曲的一個顯著特點是以演員的表演為中心，他在 1958 年《中國京劇的表演藝術》的講稿中對中國京劇的表演藝術作出了相當系統而全面的闡釋。他認為，京劇作為一種古典歌舞劇，綜合的因素比一般的戲劇多，而這麼多綜合進去的成分主要是通過演員體現出來的，而表演在戲劇中的重要地位是外國近代絕大多數戲劇家都承認的。

熊佛西

● ● ●

戲劇究竟是什麼

　　……固然，誰也承認戲劇的一部分是文學，但是整個戲劇，決不是文學，而是一種獨立的藝術。任何藝術，只要它能成為藝術，當然有它成為藝術的特點，有它的個性，有它的工具。以線條顏色來表現的就是繪畫，以聲音節奏來表現的就是音樂，以文字表現的就是文學，以姿勢表現的就是舞蹈，以「形」來表現的就是雕塑建築。總之，無論何種藝術，不管內容與外形，都應該各有各的特點，各有各的獨立性。

　　戲劇假如僅僅是文學，也就無須再另立門面。既雲獨立，當然有它獨立的特點。那麼戲劇與其它藝術的不同點究竟是什麼？要解答這個問題，最好從戲劇的定義下手。

　　美國現代的戲劇批評家韓美爾敦（Clayton Hamilton）與馬修士（Brander Matthews）的意思相彷彿，曾經為戲劇下一個定義，說：「戲劇是由演員在舞臺上，以客觀的動作，以情感而非理智的力量，當著觀眾，來表現一段人與人間的意志衝突。」這個定義雖不能算完善，但在近代的批評中，比較是最完備的。「人與人間的意志衝突」本非韓氏的獨創，乃出自法國 Ferdinand Bruntiere（1849─1906）的學說，不過韓氏加上了「演員」、「舞臺」、「觀眾」幾項不可少的原素。缺少其中的一項，戲則不戲矣。所以戲劇必須要演。演時還要有

觀眾。演，才不失掉戲劇 To do 的原意。有觀眾，才能與別種藝術並駕齊驅。其次，當然我們亦希望戲劇「可讀」，但是這不是主要的要求。現在有人將戲劇分為「可讀」「可演」的兩種，我覺得這種分法似欠斟酌。更有一種不明了戲劇起源的人，硬說戲劇用不著演；萬一演了，於其價值亦無加補。這種「硬」說的人以為戲劇僅僅是文學的一種，就是不演，其價值依舊存在。其實這是根本否認戲劇在文學以外的價值。否認它是一種獨立的藝術。我的前文已經論及，文學必須要文字來表現，但是戲劇不一定要用文字作工具，默劇就是一個好例。由此我們可以斷定：戲劇不是起源於文學，從它脫胎的時候就賦有獨立性。

　　根據韓美爾敦與馬修士這類的定義，後來似乎又有人加了許多別的成分，改稱戲劇為「綜合的藝術」（Synthtic art）。因為近代戲劇是由文學、音樂、繪畫、雕塑、建築、舞蹈綜合而成的一種藝術。但是近來很有人誤會「綜合」的意義。他們以為「綜」就是「總起來」，「合」就是「合攏去」。其實這是很大的誤解。因為各種藝術既有各個的獨立性，假如戲劇是文學繪畫音樂綜合起來的，那麼它自己豈不是沒有了獨立性？所以我們稱戲劇為「綜合的藝術」，是指它用文學音樂繪畫及其它藝術當著媒介，而另成了一種獨立的藝術，正如線條顏色聲音節奏媒介了繪畫與音樂。不過戲劇的媒介比較複雜罷了。

　　退一步就字面講，「綜合」似乎亦不應該這樣誤解。其中應該含有「配合」與「調和」的意思。配與調都非易事，非天才莫屬。譬諸烹飪：雖然油、鹽、醬、蔥、蒜、椒、姜，各樣的材料和作料都應有盡有了，假如你的那個尊廚缺乏配和與調和的天才與訓練，恐怕仍難

作成佳餚。

　　戲劇與別種藝術的不同點，當然是它的動作。動作之於戲，正如心身之於人。一個人除了四肢五官，最要緊的還有身心。身為支持一切之大軀幹；心為發源一切活動之總機關。倘若我們瞎了一隻眼，或是跛了一隻腳，在外觀上固然是一個很大的缺欠，但是我們還是一個「人」，一個外觀有缺欠的人！假如我們缺了我們的心或身，你再想想是什麼樣的一個怪物！所以自有人類以來，這世界上有了許多有用的瞎子、拐子、聾子、啞子，但是很少有用的癱子、傻子。自有戲劇以來，這世界上有了很多很多沒有繪畫，沒有音樂，沒有燈光，沒有建築雕塑的戲，但是沒有一出是沒有動作的戲。

　　我把戲劇整個的精神都歸到動作。兩種動作，一種是外形的，一種是內心的，外形的動作，很容易明瞭，就是我們舊劇中的「做工」「打工」，西洋劇中的「抱工」「舞工」，一切戲劇中的殺人放火，拳打腳踢。這種外形的動作，是發源於人類的天性。媽媽是有意識的笑，嬰孩跟著她無所為的笑。爸爸的煙癮發了，拿起煙捲兒就抽，嬰孩瞧見了，亦不知不覺地將他手中的玩具放到口裏去了。這都是外形動作的根源。今人所謂「戲劇是動作的模仿」，大概就是指這種外形的模仿，恐怕很少是指著亞里斯多德所謂的 Imitation of an action。

　　我所謂「內心的動作」就是劇中的一種「力」（Force），奮鬥（Struggle），或衝突（Confict）。人與人的奮鬥。人與物的奮鬥。自己與自己的衝突。這奮鬥，這力，這衝突，在西洋劇中處處都是。瞧瞧沙氏比亞的《哈姆萊德》、《墨客伯夫》、《阿色羅》、《裏亞王》！再瞧瞧毛裏哀的《達達夫》、《慳吝人》與易卜生的《群鬼》、《建築師》

及《玩偶之家庭》。看著這些戲裏面的「力」，裏面的「勁」，裏面的生命！再回頭來看看中國現在流行的皮簧。《寶蓮燈》、《南天門》、《打鼓罵曹》、《慶頂珠》、《空城計》、《汾河灣》、《三娘教子》……都是最富於內心動作的好戲。

其實這種內心的動作，名之曰劇情亦未嘗不可，不過往往有很好的戲，差不多毫無情節。譬如辛額（Synge）的《海濱騎者》（Ridders to the sea），開幕時告訴我們哀爾蘭的一個老婦人，因為她的幾個兒子都死在海裏，她很傷心；至閉幕時還是這樣的告訴我們，然而《海濱騎者》其所以能在近代戲劇中大放光明者，都是因為其中的「力」，其中的奮鬥——人與自然的衝突！

究竟這兩種動作是哪一種最要緊呢？這確難回答。因為這兩種動作，在一個整個的戲劇裏，彼此是息息相關，內呼外應，決難分離的。有許多外形動作很豐富的戲，因為缺少內心動作的充實，固然很難成為妙品，例如司快步（Scribe）的 Well—Made—Plays，但是同時又有些戲因為內富外弱，亦很難謂之絕品，例如歌德與囂俄的作品。總之，內心動作是藝術的，外形動作是技術的，所以一個絕妙的戲劇應該內外動作並重。

（選自熊佛西《佛西論劇》，新月書店 1931 年版）

編選說明 ● ● ●

熊佛西（1902-1965），中國現代戲劇的拓荒者之一，最先是以戲

劇創作發生影響並確立其在文學史上的地位的。在「五四」至三十年代初期，已成為與田漢齊名的著名劇作家。他對戲劇的理解是以動作為中心的。文中所引韓美爾敦（今譯漢密爾頓）所擬的戲劇定義，流傳較廣，對現代關於戲劇特徵的研究和戲劇定義的確定上，有著深刻的影響。漢密爾頓對戲劇理論比較突出的貢獻，也在於此。另外，熊佛西關於戲劇綜合性的闡釋也是有意義的。

朱光潛

音樂與教育

　　柏拉圖寫過一個長篇對話，叫做《理想國》，討論理想的政治和教育。他知道要一個國家的政治合於理想，先要使它的教育合於理想，所以他費了大半篇幅談理想國的統治階級應該受什麼樣一種訓練。他所定的課程異常簡單。一個人在二十歲以前只消有兩種教育工作，一種是體操，一種是音樂。至於我們現在的學校里許多功課，像史地，理化，數學，社會科學，哲學，外國文之類，他或是完全不講，或是擺在二十歲以後的課程裏。他的教育主張，在現代人看來，像很奇怪。可是如果你丟開成見，細心去想一想，你也許會佩服希臘人的思想，和他們的藝術一樣，簡單雖然簡單，深刻卻是深刻。體操講究好了，身體可以健全；音樂講究好了，心靈可以和諧。身心兩方面都達到思想的狀態，還愁有什麼學不好或是做不好？身心是基本，我們近代人舍基本不注意，只在一些膚淺的知識上做工夫，反自以為聰明。許多禍害似都由此起。我們急須回頭猛省。

　　我在另一篇文章裏已談過體育的重要，現在專談音樂。

　　音樂是一種最原始最普遍的藝術。飛禽走獸大半都歡喜歌唱，在歌唱中，它們表現生命的富裕和歡樂，同時，它們借歌舞把在生活中所領略的樂趣傳給同類，引起交感共鳴。歌唱在一般動物社會中是一種團結的原動力，它們沒有文化傳統和製作組織，但是它們一呼百

應，一唱百和，全靠這一點聲音上的感通。人類在原始階段也還保持著這本能的音樂嗜好。沒有一個原始民族不歡喜歌舞，小孩在個人生命史上相當於原始民族的種族生命史上，歡喜歌舞仍然是天性。人類到了開化以後，小孩到了成年以後，往往逐漸喪失音樂的嗜好，高興時不放著嗓子唱一曲歌，頹唐時也不拿一種樂器來彈奏一番，哀樂全悶在心裏，而且一個人關起來納悶，生氣因之蕭索，同情也因之冷淡。這是一個極嚴重的損失，而且是違反自然本性的。對於這種現象的造成，教育家們要負一大部分責任，他們丟開了人類一個最強烈的本能，一個最有力的教育工具，不去利用。假如他們知道利用，音樂的力量要超出任何學問訓練之上。

　　何以故呢？音樂不僅是最原始最普遍的藝術，而且是最完美的藝術，可以普及深入一般民眾，從根本上陶冶人的性格。在其它藝術，實質與形式多少可以分別出來，瞭解實質與瞭解形式可以分為兩事；音樂卻完全融化實質與形式的分別，實質即形式，形式亦即實質，內外一致，天衣無縫。所以音樂達到了藝術的最高理想。如果美育是教育中一項要目，美育的最好工作就應該是音樂。音樂雖是頂完美的，卻不能算是最困難的藝術。叔本華說得最清楚，一般藝術都須借意象來表現，例如文學所用的語文意義，圖畫所用的形象光影；音樂則為意志的直接外射，用不著憑藉意象。所以瞭解其它藝術，我們須假道於理智，比如說，不懂得語文意義，就無從瞭解文學；音樂則表現最直接，感動也最直接，我們接受聲音的刺激，生理上馬上就起反響，用不著理智的分析。中國人不一定能瞭解外國的文學，但是多少可以受外國音樂的感動，因為沒有語文的障礙。小孩子和鄉下文盲儘管不

能讀書明理，也多少可以欣賞成年人和音樂家的唱歌奏樂，因為沒有知識經驗的障礙。音樂是純從感官打動人心的，耳裏聽到，心裏就起哀樂共鳴。這件事實可以解釋音樂的普及性，也可以解釋它的深入性。如果要教育的力量普及而又深入，舍音樂還有什麼其它途徑呢？

音樂對於人生至少有三重大功用。

第一是表現。情感思想都需要發揚宣洩。我們都知道在歡喜時大笑一場，在悲哀時痛哭一場，是一件暢快事。嚴守一個秘密，心裏才感覺不舒服；尤其是感情不能壓抑，壓抑便引起衝突和苦痛。依近代心理學看，許多精神病都是情感不得宣洩的結果。表現在生氣的洋溢。一個人或一個民族到了不需要藝術的表現時，那只能兩種可能：一是生氣萎竭，一是生氣受不了自然的歪曲，向不正常不健康的路途發洩。所以給生氣以正常的康健的表現，也就是培養生氣。音樂的表現是最正常的康健的表現，因為它是人類的普遍的嗜好，而同時它的命脈在和諧。亞里斯多德在《政治學》裏談到古希臘人用一種音樂醫精神病。有一種癲狂病，醫治的方法是叫病人聽一種音樂，聽了幾回他的情感上的膿皰化消了，病就自然好。亞里斯多德把音樂的這種功能叫做 katharsis，這字含有「發散」和「淨化」兩個意義。音樂對於人的情感不僅能「發散」而且能「淨化」，就因為它本身是和諧，對於人的心靈自然能產生和諧的影響。我們有聽音樂經驗的人都知道在凝神靜聽之後，全體筋肉脈搏都經過一番和諧的震盪，心靈彷彿在困倦之後洗過一回澡，汗垢盡去。血液暢通，有心曠神怡之樂。如果我們不僅是欣賞，自己能歌唱彈奏，除了這種生氣洋溢的樂趣以外，我們還可以得到人生最大的快慰，成就一種作品的感覺。我們創造了一

個可欣賞的世界，替人類開闢了一種愉悅的泉源，意識到這種力量，就如同創世主在第七天的神情。人能多嘗這種創造的快慰，人生便顯得華嚴，而人的品格也就自然會高貴。

　　其次是感動。音樂直接打動感官，引起生理的反應，所以感人最普及而深入。這道理在上文已說過。中西神話和歷史上都有不少的關於音樂感動力的傳說。城市有借音樂造成的，也有借音樂毀倒的；勝仗有用音樂打來的，重圍有用音樂解去的；美人有借音樂取得的，深交有因音樂結成的；名著有從音樂引起思致的，至道有借音樂證成的。瓠巴鼓琴，遊魚出聽；據近代生理學家的實驗，對牛彈琴，也並非毫無影響。人類情感有許多花樣，每種花樣在脈搏呼吸和筋肉運動上都有一個特殊的節奏，特殊的模型。音樂的抑揚頓挫，長短急舒，往往與這種節奏和模型相稱。某一種樂調在生理上激起某一種節奏和模型，就引起某一種情調。所以在聽音樂時，實在有兩種樂調在進行。一是外在的，耳朵聽的；一是內在的，聽者身體在無意中所表演的。人類生理構造大致相同，所以一個樂調可以在無數聽者的心弦上引起交感共鳴。音樂是極強烈的同情媒介，也就因為這個緣故。我們如果想嘗廣大同情的味道，最好在稠人廣眾中聽音樂。樂聲作時，全體聽眾屏息肅然靜聽，無論尊卑老幼，樂就都樂，哀就都哀，霎時間不獨人我之見泯除淨盡，即傳統習俗所積纍成的層層枷鎖也一齊丟開，我們在霎時間回到自由的原始人，沉沒到渾然一體的大我。音樂使我們暢快，四圍許多人都同時在分享我的感覺，意識到這一點，我們更加暢快。這裏沒有分別界限，沒有恩仇迎拒，我們同是一個陽光煦育的兄弟姊妹，我們皆大歡喜。要群眾團結一氣，最有效的媒介只

有音樂。

　　第三是感化。感動是暫時的，感化是久遠的。音樂由感動至感化，因為它的和諧浸潤到整個身心，成為固定的模型，習慣成為自然，身心的活動也就處處不違背和諧的原則。內心和諧，則一切不和諧的卑鄙齷齪的念頭自無從發生，表現於行為的也自從容中節。中國先儒以禮樂立教，就為明白了這個道理。樂的精神在和諧，禮的精神在秩序，這兩者中間，樂更是根本的，因為內和諧外自然有秩序，沒有和諧做基礎的秩序，一個人修養到這個境界，就不會有疵可指了。談到究竟，德育須從美育上做起。道德必由真性情的流露，美育怡情養性，使性情的和諧流露為行為的端正，是從根本上做起。唯有這種修養的結果，善與美才能一致。明白這個道理，我們就會明白孔子談政教何以那樣重詩樂。詩與樂原來是一回事，一切藝術精神原來也都與詩樂相通。孔子提倡詩樂，猶如近代人提倡美育。他說：「詩可以興，可以觀，可以群，可以怨。」又說：「溫柔敦厚，詩教也。」都是看到了詩樂對於情感教育的重要。他不但把詩樂認為教育的基礎，而且把它們認為政治的基礎，實在政教是不能分離的，世間安有無教之政呢？近代人舍教言政，只見得他們愚昧。「顏淵問為邦。子曰，樂則韶舞，放鄭聲，遠佞人。」遠佞人還在放鄭聲之次，我們現在只知道厭惡佞人，其實還有比這更重要的事務──音樂教育。音樂教育上了軌道，佞人也許就不會存在，而政治也不會不修明了。

　　一個民族的性格常表現於音樂，最顯著的是中西音樂的分別。西方音樂偏於陽剛，使聽者發揚蹈厲；中國音樂偏於陰柔，使聽者沉潛肅穆。這各有所長，我們用不著偏袒。我們所最憂慮的是我國一般民

眾，尤其是士大夫階級，大半沒有真正的音樂的嗜好。這似乎表現了民族精神的衰落。我個人認為人心的污濁與社會的腐敗都種根於此。我每想起柏拉圖的教育主張，就深深感覺到我國目前教育須有一個徹底的改革。我們必須普及音樂教育，尤其是要把國樂本身大加一番整理洗刷。這不是宣傳可以了事。但是制禮作樂是盛業也是美名，容易被宣傳者當作一種口號吶喊了事。這是我草此文時心裏所栗栗危懼的。大家須拿出一副極嚴肅的態度來應付這問題，前途才有希望。

（選自《朱光潛全集》第 9 卷，安徽教育出版社 1997 年版）

編選說明 ● ● ●

　　朱光潛（1897-1986），中國著名美學家、文藝理論家、教育家、翻譯家。是我國現代美學的奠基人和開拓者之一。朱光潛不僅著述甚豐，他本人更具有崇高的治學精神和高尚的學術品格。其中他對黑格爾 110 萬字的巨著《美學》的翻譯，為他贏得了歷史性的崇高聲譽。朱光潛學貫中西，博古通今。他以自己深湛的研究溝通了西方美學和中國傳統美學，溝通了舊的唯心主義美學和馬克思主義美學，溝通了「五四」以來中國現代美學和當代美學。他是中國美學史上一座橫跨古今、溝通中外的「橋樑」，是中國現當代最負盛名並贏得崇高國際聲譽的美學大師。

傅雷

● ● ● ●

獨一無二的藝術家莫札特

　　在整部藝術史上，不僅僅在音樂史上，莫札特是獨一無二的人物。

　　他的早慧是獨一無二的。

　　我們古人有句話，說：「小時了了，大未必佳」；歐洲人也認為早慧的兒童長大了很少有真正偉大的成就。的確，古今中外，有的是神童；但神童而卓然成家的並不多，而像莫札特這樣出類拔萃、這樣早熟的天才而終於成為不朽的大師，為藝術界放出萬丈光芒的，至此為止還沒有第二個例子。

　　他的創作數量的巨大，品種的繁多，質地的卓越，是獨一無二的。

　　巴哈、韓德爾、海頓，都是多產的作家；但韓德爾與海頓都活到七十以上的高年，巴哈也有六十五歲的壽命；莫札特卻在三十五年的生涯中完成了大小 622 件作品，還有 132 件未完成的遺作，總數是754。莫札特的音樂靈感簡直是一個取之不竭、用之不盡的水源，隨時隨地都有甘泉飛湧，飛湧的方式又那麼自然，安詳，輕快，嫵媚。沒有一個作曲家的音樂比莫札特的更近於「天籟」了。

　　融和拉丁精神與日爾曼精神，吸收最優秀的外國傳統而加以豐富與提高，為民族藝術形式開創新路而樹立幾座光輝的紀念碑：在這些

方面，莫札特又是獨一無二的。

文藝復興以後的兩個世紀中，歐洲除了格魯克為法國歌劇闢出一個途徑以外，只有意大利歌劇是正宗的歌劇。莫札特卻作了雙重的貢獻：他既憑著客觀的精神，細膩的寫實手腕，刻畫性格的高度技巧，創造了《費加羅的婚禮》與《唐璜》，使意大利歌劇達到空前絕後的高峰；又以《後宮誘逃》與《魔笛》兩件傑作為德國歌劇奠定了基礎，預告了貝多芬的《斐但麗奧》、韋柏的《自由射手》和瓦格納的《歌唱大師》。

莫札特所以成為獨一無二的人物，還由於這種清明高遠、樂天愉快的心情，是在殘酷的命運不斷摧殘之下保留下來的。

大家都熟知貝多芬的悲劇而寄以極大的同情；關心莫札特的苦難的，便是音樂界中也為數不多。因為貝多芬的音樂幾乎每頁都是與命運肉搏的歷史，他的英勇與頑強對每個人都是直接的鼓勵；莫札特卻是不聲不響地忍受鞭撻，只憑著堅定的信仰，像殉道的使徒一般唱著溫馨甘美的樂句安慰自己，安慰別人。雖然他的書信中常有怨歎，也不比普通人對生活的怨歎有什麼更尖銳更沉痛的口吻。可是他的一生，除了童年時期飽受寵愛，像個美麗的花炮以外，比貝多芬的只有更艱苦。《費加羅的婚禮》與《唐璜》在布拉格所博得的榮名，並沒給他任何物質的保障。兩次受雇於薩爾斯堡的兩任大主教，結果受了一頓辱　，被人連推帶踢地逐出宮廷。從二十五到三十一歲，六年中間沒有固定的收入。他熱愛維也納，維也納只報以冷淡、輕視、嫉妒，音樂界還用種種卑鄙手段打擊他幾齣最優秀的歌劇的演出。一七八七年，奧皇約瑟夫終於任命他為宮廷作曲家，年俸還不夠他付

房租和僕役的工資。

　　為了婚姻，他和最敬愛的父親幾乎決裂，至死沒有完全恢復感情。而婚後的生活又是無窮無盡的煩惱：九年之中搬了十二次家；生了六個孩子，夭殤了四個。康斯坦斯・韋伯產前產後老是鬧病，需要名貴的藥品，需要到巴登溫泉去療養。分娩以前要準備迎接嬰兒，接著又往往要準備埋葬。當鋪是莫札特常去的地方，放高利貸的債主成為他唯一的救星。

　　在這樣悲慘的生活中，莫札特還是終身不斷地創作。貧窮、疾病、妒忌、傾軋，日常生活中一切瑣瑣碎碎的困擾都不能使他消沉；樂天的心情一絲一毫都沒受到損害。所以他的作品從來不透露他的痛苦的消息，非但沒有憤怒與反抗的呼號，連掙扎的氣息都找不到。後世的人單聽他的音樂，萬萬想像不出他的遭遇而只能認識他的心靈——多麼明智、多麼高貴、多麼純潔的心靈！音樂史家都說莫札特的作品所反映的不是他的生活，而是他的靈魂。是的，他從來不把藝術作為反抗的工具，作為受難的證人，而只借來表現他的忍耐與天使般的溫柔。他自己得不到撫慰，卻永遠在撫慰別人。但最可欣幸的是他在現實生活中得不到的幸福，他能在精神上創造出來，甚至可以說他先天就獲得了這幸福，所以他反覆不已地傳達給我們。精神的健康，理智與感情的平衡，不是幸福的先決條件嗎？不是每個時代的人都渴望的嗎？以不斷的創造征服不斷的苦難，以永遠樂觀的心情應付殘酷的現實，不就是以光明消滅黑暗的具體實踐嗎？有了視患難如無物、超臨於一切考驗之上的積極的人生觀，就有希望把藝術中美好的天地變為美好的現實。假如貝多芬給我們的是戰鬥的勇氣，那麼莫札

特給我們的是無限的信心。把他清明寧靜的藝術和侘傺一世的生涯對比，我們更確信只有熱愛生命才能克服憂患。莫札特幾次說過：「人生多美啊！」這句話就是瞭解他藝術的鑰匙，也是他所以成為這樣偉大的主要因素。

（選自傅雷《獨一無二的藝術家莫札特》，載《與傅聰談音樂》，三聯
書店 1984 年版）

編選說明 ● ● ●

　　傅雷（1908-1966），著名翻譯家，文藝評論家。20 世紀 60 年代初，傅雷因在翻譯巴爾扎克作品方面的卓越貢獻，被法國巴爾扎克研究會吸收為會員。此文為傅雷一九五六年為紀念莫札特誕辰 200 週年而作，其中對莫札特音樂有著深刻的認識和獨到的闡釋。文中特別提出莫札特音樂的清明、寧靜的特點，並進而指出，莫札特之所以能夠成為世界上獨一無二的音樂家，正由於他音樂中清明高遠、樂天愉快的氣質，是在殘酷的命運不斷摧殘之下保留下來的。作者認為，如果說，貝多芬音樂給我們的是戰鬥的勇氣，莫札特音樂則能給我們以無限的信心，人們只有熱愛生命才能克服憂患。這些精彩見解，即使讀者對莫札特的音樂瞭解不多，讀來也具有啟示和指導意義。

四 ••• 映像藝術

巴拉茲‧貝拉 •••

電影：一種新的藝術哲學

　　電影攝影機是從歐洲傳入美洲的。然而，為什麼電影藝術卻是由美洲呈獻給歐洲的呢？為什麼這門新藝術的特殊表現形式首先出現在好萊塢而不是在巴黎呢？歐洲向美洲學習一種藝術，這是有史以來第一次。

　　原因在於電影是唯一在資本主義時代產生的藝術，其它藝術都在資本主義以前就深深紮下了根，從而多少帶有古老形式和舊意識的烙印。此外，資產階級的美學傳統以及那種把資本主義前的藝術——尤其是古典藝術——及其永恆法則奉為無上權威的藝術史觀，也都起著作用。資產階級把其它社會制度和意識形態的產物古典藝術當成一切藝術的絕對準則和唯一典範。資產階級的學府和官方藝術部門也都採取上述態度。這樣的藝術觀使得有文化素養的歐洲不能成為有利於這一全新藝術繁榮的中心。而既無傳統包袱，又沒有文化偏見的美國倒

可以不成問題地接受這一藝術的勃興。

……

　　像這樣一種打破一切既成傳統的新藝術，不能不是一種先進意識形態的產物，否則就違反事理、背悖常情、空前絕倫了。無怪乎電影藝術的先驅、天才的大衛・沃克・格裏菲斯攝製的影片不僅形式新穎，內容也是徹底民主、徹底進步的。他在第一次世界大戰初期拍攝的那部巨片《黨同伐異》，是當時的一篇最勇敢的和平主義的宣言書。影片第四部分，格裏菲斯在抨擊帝國主義者的沙文主義時，用了如下的言辭，揭露大企業主的行徑：

　　美國工業家的生意每況愈下。他需要廣告助他挽回頹靡的處
　　境，讓自己成為家喻戶曉的名人。他讓本家姐妹辦些慈善事
　　業，辦個孤兒院，雖然當時並不需要孤兒院。但是借善舉揚
　　名畢竟能奏顯效：辦孤兒院得有錢，開始它一直空著。從哪
　　兒弄錢呢？他降低工人工資。於是工人罷工。老闆運來工
　　賊。工人不讓工賊進廠。員警開槍，硬為工賊開路，工廠終
　　於復工。死難者的孤兒住進孤兒院，一切如願。結局圓滿。

　　25 年後的今天，資產階級的電影已不再有能力用類似的表現來構思一幅批判資本主義的圖畫了。然而，格裏菲斯在形式上的革命性創新，以革命精神充實電影的內容，絕不是偶然的事。他的其它影片也都攻擊一切傳統觀念；那些影片依仗電影表現形式的更新，使進步

的、民主的內容得到充分的表達，也不是偶然的。例如《殘花》這部
出色的影片，男主角是中國人。試想，一部美國片，唯一正直、高
尚、討人喜歡的人物竟是一個有色人種的男子!這在當時，需要多麼
驚人的勇氣。而影片《暴風雨中的孤兒》則是描寫法國大革命的最壯
麗、最動人的藝術作品之一。在另一部影片中[1]，格裏菲斯譴責了禁
欲的宗教教規。

　　整整一代好萊塢導演熱情地追隨格裏菲斯，他們在第一次世界大
戰期間深化了電影藝術的原則，使這門藝術幾乎達到完美的程度，突
然，這門藝術被移植到歐洲。美國的革新家們已在曾給他們所選擇的
題材以靈感的民主進步思想的推動下，對形式進行了革命性的改造。
埃里克・馮・斯特勞亨導演的那部諷刺巨作《貪婪》，對資產階級進
行了社會批判，而且以斯威夫特的辛辣和霍迦斯的無情，把這種批判
推向極端。通俗牛仔片的浪漫情調的反資本主義觀點，把城市商人
（而並非資本主義本身）當作攻擊的靶心；大自然的正直而自由的兒
女起來反抗信用社的主導地位和農業的工廠化，他們是一種名副其實
的革命意識的傳遞者。在那個時期自由思想還活躍而有生命力，法西
斯主義的陰影還沒有遮暗它的光輝。

　　我們不應忘記最早的電影明星之一、迷人的瑪麗・碧克馥。她只
扮演直到影片結束都不嫁富人的窮家姑娘的角色。由笑容可掬的道格
拉斯・範朋克領上銀幕的那些冒險家們，使資產階級膽戰心驚。還有
那些歌頌早期殖民者和美國墾荒者們業績，而且往往接近藝術和道德
純潔高峰的西部題材影片，開創了一種崇尚田間艱苦勞動的家長制格

1　此處大約是指影片《到東方去》（1920）。

調的新型史詩。

　　卓別林屬於電影藝術的第一代，他本人就參與了這一藝術的開創
工作。他不斷表現窮人和受害者。當然，查利這個不朽的人物並不是
受剝削的工農形象的革命的再現，而只是個「流浪無產者」。為了免
遭殘忍商人的坑害，他採用種種令人想像不到的狡猾手段和可憐的辦
法自衛和報復。然而，整體而言，創造了電影新語言的好萊塢偉大的
先驅們，無論在他們影片的內容和精神上，或者在意識形態上，都是
傾向進步和民主的。資產階級的第一的也是唯一的藝術就是從這種精
神中誕生的。

　　（選自〔匈〕巴拉茲·貝拉，李恒基譯《創造性的攝影機》，轉自宋
　　　健林編《繆斯的沉迷》，改革出版社 1999 年版）

編選說明 ● ● ●

　　巴拉茲·貝拉（1884-1948），匈牙利著名電影理論家、編劇。他
對電影的本性、電影蒙太奇、畫面構成等有精闢論述。他的電影美學
理論，享有世界聲譽，一生留下三部非常重要的著作：《可見的人類
和電影的文化》（1924）、《影片的精神》（1930）和《電影美學》
（1952）。本篇譯自巴拉茲的第一部著作《可見的人類和電影的文
化》。在這部著作中，巴拉茲關注電影藝術的文化影響力，比較系統
地表達出電影形成新的文化形態的觀念。本篇揭示的是電影作為唯一
在資本主義時代產生的藝術，其意識形態的先驅性。從某種意義上

講，巴拉茲的電影文化學說像一個預言，影視文化的形成對人類的歷史進程已經在產生強大而深遠的影響。

克拉考爾

$\bullet\ \bullet\ \bullet$

電影的特性

　　電影的特性可以分為基本特性和技巧特性。基本特性是跟照相的特性相同的。換言之，即電影特別擅長於紀錄和揭示具體的現實，因而現實對它具有自然的吸引力。

　　有各種不同的可見世界。以一次舞臺演出或一幅畫來說，它們也都是真實的，可以被感知的。但是我們這裏所指的現實只是實際存在的物質現實──我們生活在其中的變化無窮的世界（物質現實可以稱作「具體的現實」或「具體的存在」或「實在」，或籠統地叫「自然」。另一個恰當的術語是「攝影機面前的現實」。最後，「生活」這一術語有時也可以用來代替上述術語──理由何在，這將在第四章中得到說明）。其它可見世界進入這個世界後並不能真正構成它的一部分。例如說，一齣舞臺劇有它自己的小天地，如果它跟真實生活環境發生了聯繫，它就立刻粉碎了。

　　電影，作為一個複製的手段，當然可以複製著名的舞劇、歌劇和諸如此類的東西。但是，即使假定這類複製力求符合銀幕的特殊要求，它們至多也只是將其「儲存」起來而已，我們在這裏是對之不感興趣的。把存在於真正的物質現實之外的舞臺演出保存下來，怎麼說也只能是一種特別適合於探索外部現實的手段的一個副業。這並不等於否認，舞臺演出節目的複製在某些故事片和其它樣式的影片裏有可

能用於高度電影化的目的。

　　在電影的各種技巧特性中，最一般但又不可缺少的是剪輯。剪輯的功用是組接鏡頭，使之產生意義，所以它在照相方面是不可想像的（照片剪貼是一種圖畫藝術，而不是一種純粹照相性質的樣式）。在那些更為純粹的電影技巧中，有一些是借自照相的——例如特寫、軟焦點畫面、負片的應用、兩次或多次曝光等。其它諸如疊化、快動作和慢動作、時間的倒轉、某些「特技效果」等，則由於某些顯見的理由是電影所獨有的。

　　說這麼幾句也就足夠了。這裏沒有必要多談早在許多已有的理論著作中屢經論述的技巧問題。跟這些著作不同（它們全都以大量篇幅來論述剪輯方法、照明方法、特寫的各種效果等等），本書僅限於論述電影技巧對電影的本性——由電影的基本特性和這些特性的各種相互關係所決定的本性——所起的影響。本書對剪輯的興趣不在於剪輯本身，也不想研究剪輯所能達到的目的，而在於它作為一種執行或激發跟電影手段的具體特徵相適應的各種電影潛力的工具所起的作用。換句話說，本書的任務不在於孤立地論述一切可能有的剪輯方法：它的任務毋寧說在於確定剪輯在高度電影化的作品中可能起的作用。本書並不打算忽視電影技巧問題，但它將只在討論非技巧性質的爭端的過程中感到有必要研究這些問題時才談到它們。

　　以上關於論述程序的這點說明也含有這樣一層其實已很明顯的意思：基本特性和技巧特性是有很大區別的。對一部影片的電影化程度起決定性作用的通常是前者而不是後者。假定說，有一部影片按照電影手段的基本特性的要求，紀錄了物質現實的一些有趣的方面，但它

在技巧上則很差勁（也許照明處理很彆扭，或剪輯得很呆板）；然而，這樣一部影片卻要比一部用盡了各種電影手法和特技，但在內容上缺乏攝影機面前的現實的影片更符合電影的定義。不過這不應當導致人們去低估技巧特性的影響。我們將會看到，在某些情況下，有意識地運用一大堆技巧的結果，也會使一部本來將是非現實主義的影片獲得一種電影化的情趣。

（選自〔德〕齊格弗裏德‧克拉考爾，邵牧君譯《電影的本性──物質現實的復原》，中國電影出版社 1981 年版）

編選說明 ● ● ●

　　齊格弗裏德‧克拉考爾（1889-1966），德國美學家、社會學家、小說家、著名電影理論家，與巴贊齊名，是「真實電影」、「紀實美學」、「電影本體美」的始作俑與集大成者，西方電影理論中「紀錄派」的代表人物。1961 年他的第一部電影美學長篇著作《電影的本性─物質現實的復原》在美國出版，被譯成多種文字。這是一部重要的電影理論著作，他的主要電影主張都體現在這本書裏，即強調電影的照相本性和紀錄功能。其理論對 20 世紀 60 年代以後世界電影的發展起到過歷史性的重要影響。

本雅明

攝影術發明帶來的藝術品複製

　　原則上，藝術作品向來都能複製。凡是人做出來的，別人都可以再重做。我們知道自古以來，學徒一向為了習藝而臨摹藝術品，也有師父為了讓作品廣為流傳而加以複製，甚至也有為了獲取物質利益而剽竊仿冒的。然而，藝術作品以機械手法來複製卻是個新近的現象，誕生於歷史演進中，逐步發展而來，每一步的發展都有一段長久的間隔，而跳接的節奏是愈來愈快。古希臘人只曉得兩種複製技術方法：鎔鑄與壓印模。他們能夠系列性複製的藝術品只有銅器、陶器和錢幣。其它類型的作品只可單件存在，無法利用任何形式的技術來複製。有了木刻技術之後，素描作品才第一次被成功地複製，而這是早在印刷術大量複製文書以前很久的事了。眾所週知，印刷術，也就是文章的複製技術，為文學帶來了重大的轉變。這項發明無論有多麼不同凡響的重要性，就我們此處所著眼的世界歷史來看，也只是一般現象中個別的一環而已。中世紀時代除了木刻之外又出現了銅刻版畫與蝕銅版畫，19 世紀再加上石版。石版使複製技術跨出了關鍵性的一大步。這項技法更為忠實，直接素描於石塊上，而不是在木板上切畫或是在銅片上鏤刻，有史以來第一次讓圖畫藝術製品可以流入市面上，不僅是大量出現（這一點早已做到了），而且是日復一日地推陳出新。這樣一來，素描便能夠為每日的時事報導配上插圖，也由此成

為印刷術的親密搭檔。可是這項發明所扮演的角色在不到幾十年的工夫就被攝影所取代了。攝影術發明之後，有史以來第一次，人類的手不再參與圖像複製的主要藝術性任務，從此這項任務是保留給盯在鏡頭前的眼睛來完成。因為眼睛捕捉的速度遠遠快過手描繪的速度，影像的複製此後便不斷地加快速度，甚至達到可以緊隨說話節奏的地步：利用輪轉的照相裝置可以在攝影棚內把快如演員念臺詞的動作變化一一定在影像中。如果說石版潛藏孕育了畫報，攝影則潛藏孕育了有聲電影，電影是在攝影中萌芽成長的。上個世紀末，曾有人抨擊聲音複製所引起的問題。一切努力總結起來正足以預見瓦雷里所刻畫的美景：「如同水、瓦斯和電流可從遠方通到我們的住處，使我們毫不費勁便滿足了我們的需求，有一天我們也將會如此得到聲音影像的供應，只消一個信號、一個小小的手勢，就可以讓音像來去生滅。」

　　到了 20 世紀，複製技術已達到如此的水準，從此不但能夠運用在一切舊有的藝術作品之上，以極為深入的方式改造其影響模式，而且這些複製技術本身也以全新的藝術形式出現而引起注目。關於這方面，再也沒有比其中兩項不同的表現——藝術作品的複製與電影藝術——對傳統藝術形式的影響作用更具有啟示性的了。

　　（選自〔德〕瓦爾特・本雅明，許綺玲等譯《機械複製時代的藝術品》，見《迎向靈光消逝的年代——本雅明論藝術》，廣西師範大學出版社 2004 年版）

編選說明 ●●●

　　瓦爾特 · 本雅明（一譯沃爾特 · 本傑明，Walter Benjamin，1892-1940），德國著名思想家、文藝批評家。1924 年開始接觸馬克思主義思想。早期從事藝術審美批評，1928 年出版《德國悲劇的起源》。此後加入了享譽世界的「法蘭克福學派」，研究領域也逐漸擴至文藝的文化研究，1935 年完成力作《機械複製時代的藝術品》。該作於 1936 年 5 月以法語發表在《社會研究雜誌》上。在當時，激進的「左派」和「右派」都把藝術當做政治宣傳的工具，《機械複製時代的藝術品》是本雅明試圖弄明白藝術與政治之間關係的最出色的努力之一，也是他試圖建立唯物主義藝術生產理論的努力。本雅明在該作中指出，機械複製藝術的出現是以傳統藝術「光韻」的消失為代價的。本雅明親身經歷了藝術在技術革命中所發生的裂變，並成為機械複製藝術時代最早的思考者。1960 年代後，他的思想成果逐漸受到西方理論界的重視，許多著作被編輯整理出版。蘇珊 · 桑塔格稱他是「歐洲的最後一名知識分子」，更是一個世紀的精神捍衛者和辯護者。

普多夫金

電影的可能性

　　現在來談電影。電影擁有什麼可能性呢？電影充分地具有以視覺形象去直接感染觀眾的力量。在時間中的自由運動，使電影能夠充分地運用和發展那些為音樂與詩歌所確定下來的節奏形式。電影可以在空間上迅速轉移，也可以在時間上靈活轉換，這樣就使電影能夠充分表現世界的一切複雜內容，能夠鮮明地揭示各個現象之間的深刻聯繫。電影能夠同樣明確地既看到細節，也看到包容細節的整體。

　　文學中的長篇小說所能做到的對客觀現實的廣泛描寫，在電影中也完全能夠做到。不僅如此，由於能夠直接感受視覺形象（以此代替了對形象的文學描寫），由於各種蒙太奇手法富於靈活性，電影有可能輕而易舉地擔負一些幾乎是文學所無法完成的任務。

　　電影充分掌握了活生生的可見的人，及其富於聲調變化的語言。因此，戲劇的一切可能性也都為電影所掌握，而且電影不同於戲劇，對於一切都要通過人或借助於人來加以表現這一原則，在電影中並不是非遵守不可的。

　　電影掌握了戲劇演出的全部可能性，再加上技術上和創作上的許多新的巨大可能性，這樣就能夠大大擴充戲劇演出的範圍，使它可以包括文學作品以至科學著作所能容納的極其豐富的內容。這就是電影所擁有的可能性。電影已經掌握了現有的一切藝術的全部可能性。

　　如果回過來考慮一下辯證思維，那就可以看出，恰恰是電影能夠在銀幕上表現出完整的、直接作用於感官的生活圖景，把生活作為極端複雜的辯證過程來加以描繪。

　　觀眾在觀看思想內容豐富的影片時，彷彿是在體驗一個天才的思維過程。觀眾既能洞察種種細節，又能一眼綜觀全域；能夠看出局部與局部之間以及局部與整體之間的相互聯繫，又能看到變化並感到變化的規律；既能回溯過去以檢驗這一規律，又能展望未來以便徹底肯定這一規律。如此完整地描繪現實，如此全面地揭示各種規律性的聯繫——這一切在電影中都是借助於蒙太奇手法而實現的。

（選自〔蘇〕普多夫金，黃定語譯，瀚波校《論蒙太奇》，《電影藝術譯叢》第 1 輯，中國電影出版社 1962 年版）

編選説明 ●●●

　　弗謝沃洛德．普多夫金（1893-1953），蘇聯著名導演，曾拍攝《棋迷》《母親》《成吉思汗的後代》等影片。《母親》不僅是他的代表作，而且是蘇聯電影的重大成就。他還是享有國際聲譽的電影理論家，與愛森斯坦共同創立了蒙太奇電影理論。著有《論電影編劇和導演》《電影演員藝術》。所撰《論蒙太奇》被公認為是論述蒙太奇最重要的文獻之一，奠定了蒙太奇的理論基礎。

伯格

●●●

攝影的使用——給蘇珊‧桑塔格

　　我想要寫下有關我對蘇珊‧桑塔格（Susan Sontag）所著的《論攝影》（On Photography）這本書的一些感想。文中我所引用的文字皆摘錄自她書中，雖然有些想法有時是我自己的，不過都是源自該書的讀後心得。

　　1839 年，福克斯‧塔爾博特（W‧H.Fox Talbot）發明了照相機。這項發明原本是為上流社會所設計的玩意兒，不料之後僅僅 30 多年，即被廣泛運用於員警建檔、戰爭報導、軍事偵測、色情文學、百科全書的製作、家庭相簿、明信片、人類學記錄（通常伴隨有種族屠殺，如美國史上的印第安人一樣）、情感教化、調查探索（我們將之誤稱為「偷拍鏡頭」），用來製作美學效果、新聞報導及正式的人像。而不久，1888 年，第一隻便宜的大眾化照相機上市了。攝影的用途以驚人的速度擴展，顯示出它對工業資本主義非凡且重要的適應性。馬克思（Karl Marx）也於照相機發明的那一年成年了。

　　然而，一直等到 20 世紀及兩次大戰期間，攝影才成為指涉外表最主要、最「自然」的方法。就是在那個時代，照片取代了事實，成了直接的證據。那時，攝影被視為最公正透明的、最能引導我們直接進入現實的工具，那時也相當於偉大的攝影師斯特蘭德與埃文斯（Walker Evans）等人為時代作見證最活躍的時期。在資本主義國家

裏，那是攝影最自由的時期：它從純藝術的範疇中被釋放出來，成為可以作最民主式運用的大眾媒介。

可惜為期不久，這項具有「真實性」的新媒介，被人們刻意地當作一種宣傳工具來使用。德國的納粹黨就是系統性使用攝影作為宣傳的最早者之一。

在所有組成和加深現代感的事物中，照片也許是最神秘的。照片事實上是捕捉來的經驗，而相機則是我們有意識地用來捕捉瞬間的最佳利器。

最早期的攝影提供了一種新的技術，它是一種工具。今天，攝影不只是提供給我們新的選擇，它的使用和「閱讀」變成了司空見慣的事，變成了不需要反省檢查的現代生活知覺的一部分。這種轉變要歸功於多方面的發展，諸如新興電影工業，輕巧相機的發明——從此照相不再是隆重的儀式，而成了一種「反射動作」。另一方面由於報導攝影（photojournalism）的出現，文字隨著圖片而走，而非圖隨文走。廣告的崛起也成為一股決定性的經濟力量。

……

桑塔格對目前照片之使用的理論，引導我們去思考這樣一個問題：「攝影是否能有其它不同的功能？是否有另外一種攝影？」我們不能天真地回答這個問題，因為在目前還不太可能有其它的專業攝影（如果我們想到攝影師這項職業）。社會體系可以容納任何一種照片。但是，我們若想繼續和資本主義社會的文化對抗奮鬥的話，應該開始去思考未來另外一種攝影應該如何進行，而這種未來的發展也正是我們目前所期盼的。

　　照片時常被當作製作海報、報紙與手冊等印刷品的激進武器。我並不想貶低這類煽動性出版物的價值。然而，我們必須去檢討目前習以為常地使用公眾照片的方式，當然不只是炮火連天地四處瞄準去批評各種不同的目標──更要改變它們的運作方法。但怎麼去進行呢？

　　首先，我們必須回到我之前所討論的有關照片公私兩種不同的用途上。有關攝影的私人用途方面，當被拍攝的那一剎那，當時的景象就被保存記錄下來，與主題人物有一種繼續的連貫意義（舉例說明，若你在牆上掛一張彼得的照片，你就不太可能忘記彼得對你所代表的意義）。相對地，被公開使用的照片是從當時的環境中抽離出來，變成一種死的東西，而也正因為它是死的，所以可以自由地被使用。

　　有史以來最著名的一次攝影展──「人類一家」（The Family of Man，由施泰肯 [Edward Steichen] 於 1955 年籌畫），有來自世界各地的攝影照片，湊合起來有如一本全世界的家庭相簿。施泰肯的第六感是絕對正確的：私人的照片可以當作公開展示的典範。可惜他走捷徑的結果使得整個展覽（倒不是每張照片都是）顯得多愁善感且自得意滿，因為他將現實生活裏階級分明的世界當作一個大家庭來看待。事實上，大多數的人像作品都是關於痛苦的經驗，而這些痛苦大多是人為造成的。

　　蘇珊‧桑塔格寫道：

　　當人們第一次接觸到各種極度悲慘的攝影作品時，所得到的是一種領悟，一種典型的現代領悟：負面的呈現。就我而言，我是 1945 年 7 月在聖塔‧莫尼卡（Santa Monica）一家

新書店中偶然看見這類型的作品，是貝爾根-貝爾森（Bergen-Belsen）和達豪（Dachau）的照片。在我的視覺經驗裏——不論在攝影作品中或現實生活中——從未見過像這些照片那樣尖銳、深刻而令人震驚的東西。雖然當時我才12歲，但這的確是我生命中的一個轉捩點，而我是經過了幾年之後才真正瞭解到那些照片所代表的意義。

照片是往事的遺物，是已發生過的事情所留下的痕跡。如果活著的人將往事扛在身上，如果過去變成那些為自己開創歷史的人的一部分，那麼所有的照片將需要一種活的背景環境，它們將會繼續存在於時間中，而不僅是被捕捉下來的一瞬間。攝影有可能是用來傳達人類社會及政治的記憶。這樣的記憶可將過去的任何影像——即使再怎麼悲慘，再怎麼有罪惡感——包含在其自身的連續性中。如此或許可以超越攝影的公私兩種用途，而「人類一家」也就可能會存在了。

（選自〔英〕約翰·伯格，劉惠媛譯《看》，廣西師範大學出版社2007年版）

編選說明 ● ● ●

約翰·伯格（John Berger，1926-），英國著名藝術批評家、小說家、畫家。藝術專著《看》等形式新穎，意義深遠，已經是藝術批評的經典。本篇思考的是攝影如何實踐其在現代社會的功能及其中不可

思議之處，與蘇珊·桑塔格遙相唱和。他討論的是攝影和藝術，卻蘊涵著非常豐富的「認識藝術」的看法，由此拓展了由瓦爾特·本雅明、羅蘭·巴爾特和蘇珊·桑塔格所開創的批評前沿。他以敏銳的觀察以及對影像的解讀能力，充滿了時代感的寫作風格，讓喜愛藝術、攝影的人們津津樂道。

桑塔格

在柏拉圖的洞穴裏

　　人類無可救贖地留在柏拉圖的洞穴裏，老習慣未改，依然在並非真實本身而僅是真實的影像中陶醉[2]。但是，接受照片的教育，已不同於接受較古老，較手藝化的影像的教育。首先，周遭的影像更繁多，需要我們去注意。照片的庫存開始於一八三九年，此後，幾乎任何東西都被拍攝過，或看起來如此。攝影之眼的貪婪，改變了那個洞穴──我們的世界──裏的幽禁條件。照片在教導我們新的視覺準則的同時，也改變並擴大我們對什麼才值得看和我們有權利去看什麼的觀念。照片是一種觀看的語法，更重要的，是一種觀看的倫理學。最後，攝影企業最輝煌的成果，是給了我們一種感覺，以為我們可以把整個世界儲藏在我們腦中──猶如一部圖像集。

　　收集照片就是收集世界。電影和電視節目照亮牆壁，閃爍，然後熄滅，但就靜止照片[3]而言，影像也是一個對象，輕巧、製作廉宜，便於攜帶、積纍、儲藏。

　　……

　　最近，攝影作為一種娛樂，已變得幾乎像色情和舞蹈一樣廣

2　柏拉圖在《理想國》第七章中描述一個洞穴，人一生下來就在洞穴裏，手腳被綁著，身體和頭都不能動，他們眼前是洞壁，他們背後是一個過臺，過臺背後是火光，火光把過臺上人來人往的活動投射到洞壁上，洞穴裏的囚徒便以為洞壁上晃動的影像是真實的。柏拉圖認為，這個洞穴就是我們的世界。
3　又譯「呆照」、「硬照」

泛——這意味著攝影如同所有大眾藝術形式，並不是被大多數人當成藝術來實踐的。它主要是一種社會儀式，一種防禦焦慮的方法，一種權力工具。

攝影最早的流行，是用來紀念被視為家族成員（以及其它團體的成員）的個人的成就。在至少一百年來，結婚照作為結婚儀式，幾乎像規定的口頭表述一樣必不可少。相機伴隨家庭生活。據法國的一項社會學研究，大多數家庭都擁有一部相機，但有孩子的家庭擁有至少一部相機的幾率，要比沒有孩子的家庭高一倍。不為孩子拍照，尤其是在他們還小的時候不為他們拍照，是父母漠不關心的一個徵兆，如同不在拍攝畢業照時現身是青春期反叛的一種姿態。

通過照片，每個家庭都建立本身的肖像編年史——一套袖珍的影像配件，作為家庭聯繫的見證。只要照片被拍下來並被珍視，所拍是何種活動並不重要。攝影成為家庭生活的一種儀式之時，也正是歐洲和美洲工業化國家的家庭制度開始動大手術之際。隨著核心家庭這一幽閉恐懼症的單元從規模大得多的家族凝聚體分裂出來，攝影不棄不離，回憶並象徵性地維繫家庭生活那岌岌可危的延續性和逐漸消失的近親遠房。照片，這些幽影般的痕跡，象徵性地提供了散離的親人的存在。一個家庭的相冊，一般來說都是關於那個大家族的——而且，那個大家族僅剩的，往往也就是這麼一本相冊。

由於照片使人們假想擁有一個並非真實的過去，因此照片也幫助人們擁有他們在其中感到不安的空間。是以，攝影與一種最典型的現代活動——旅遊——並肩發展。歷史上第一次，大批人定期走出他們住慣了的環境去作短期旅行。作玩樂旅行而不帶相機，似乎是一樁極

不自然的事。照片可提供無可辯駁的證據，證明人們有去旅行，計劃
有實施，也玩得開心。照片記錄了在家人、朋友、鄰居的視野以外的
消費順序。儘管相機能把各種各樣的經驗真實化，但是人們對相機的
依賴並沒有隨著旅行經驗的增加而減少。拍照滿足大都市人累積他們
乘船逆亞伯特尼羅河而上或到中國旅行十四天的紀念照的需要，與滿
足中下層度假者抓拍埃菲爾鐵塔或尼亞加拉大瀑布快照的需要是一樣
的。

　　拍照是核實經驗的一種方式，也是拒絕經驗的一種方式——也即
僅僅把經驗局限於尋找適合拍攝的對象，把經驗轉化為一個影像、一
個紀念品。旅行變成累積照片的一種戰略。拍照這一活動本身足以帶
來安慰，況且一般可能會因旅行而加深的那種迷失感，也會得到緩
解。大多數遊客都感到有必要把相機擱在他們與他們遇到的任何矚目
的東西之間。他們對其它反應沒有把握，於是拍一張照。這就確定了
經驗的樣式：停下來，拍張照，然後繼續走。這種方法尤其吸引那些
飽受無情的職業道德摧殘的人——德國人、日本人和美國人。使用相
機，可平息工作狂的人在度假或自以為要玩樂時所感到的不工作的焦
慮。他們可以做一些彷彿是友好地模擬工作的事情：他們可以拍照。

　　被剝奪了過去的人，似乎是最熱情的拍照者，不管是在國內還是
到國外。生活在工業化社會裏的每個人，都不得不逐漸放棄過去，但
在某些國家例如美國和日本，與過去的割裂所帶來的創傷特別尖銳。
二十世紀五六十年代富裕而庸俗的美國粗魯遊客的寓言，在二十世紀
七十年代初期已被具有群體意識的日本遊客的神秘性取代：估價過高
的日元帶來的奇跡，剛把他們從島嶼監獄裏釋放出來。這些日本遊客

一般都配備兩部相機，掛在臀部兩邊。

　　……

　　需要由照片來確認現實和強化經驗，這乃是一種美學消費主義，大家都樂此不疲。工業社會使其公民患上影像癮：這是最難以抗拒的精神污染形式。強烈渴求美，強烈渴求終止對表面以下的探索，強烈渴求救贖和讚美世界的肉身——所有這些情慾感覺都在我們從照片獲得的快感中得到確認。但是，其它不那麼放得開的感情也得到表達。如果形容說，人們患上了攝影強迫症，大概是不會錯的：把經驗本身變成一種觀看方式。最終，擁有一次經驗等同於給這次經驗拍攝一張照片，參與一次公共事件則愈來愈等同於通過照片觀看它。十九世紀最有邏輯的唯美主義者馬拉美說，世界上的一切事物的存在，都是為了在一本書裏終結。今天，一切事物的存在，都是為了在一張照片中終結。

　　（選自〔美〕蘇珊・桑塔格，黃燦然譯《論攝影》，上海譯文出版社 2010 年版）

編選說明 ●●●

　　蘇珊・桑塔格（Susan Songtag，1933-2004），美國作家、文學批評家。《論攝影》一書被認為是在「過去 140 年中，就攝影影像對我們觀看世界以及觀看我們自己的方式這一深刻改變所作的才華橫溢的分析」，是攝影乃至文藝批評的經典之作。其中在《在柏拉圖的洞

穴裏》一文中，蘇珊·桑塔格引用柏拉圖在其對話體著作《理想國》第七卷中提及的關於「洞穴」的比喻，反思攝影藝術「真與幻」的關係，指出是攝影幫助人們在相冊中按年代的順序將虛擬的現實（幻象）搜集起來，並將其視為「真實」。桑塔格的論述視野寬廣，極富洞見，對世界的看法充滿出其不意的智慧。

愛森斯坦

蒙太奇的力量

　　擺在演員面前的，也完全是同樣的任務──以兩個、三個、四個性格特徵或是行為特徵來表現出那些基本的因素，使這些因素一經對列，就能夠創造出作者、導演以及演員本人所構思的完整的形象。

　　這種方法有什麼特別值得注意之處呢？首先就是它的動力學性。因為事實上所期望的形象不可能是現成的，而是要浮現和產生出來的。也就是說，作者、導演、演員所構思的形象，先得由他們固定為一系列單獨的造型因素，然後再在觀眾的感受中再度地、最後地樹立起來。而這，也正是任何演員的最終的目的和最終的創作意向。

　　高爾基在給費定的一封信中，關於這一點寫得非常生動。

　　您說，您正為「怎樣寫」這個問題而苦惱。二十五年來，我一直觀察著這個問題是怎樣在苦惱著人們……對的，對的，這是個嚴重問題。我也為它苦惱過，而且還在苦惱著，看來還要苦惱一輩子。但是對我來說，這個問題的提法是這樣的：應該怎樣寫，才能夠使所描寫的人，不管他是什麼樣的人，以其形體的可感覺性的力量躍然紙上，使人感到他的存在，相信他的半幻想式的現實性，正如我所看到和所感覺到的那樣？對我說來，關鍵就在這裏，它的秘密也就在這

裏⋯⋯

　　蒙太奇是可以幫助我們來解決這個任務的。蒙太奇的力量就在於：它把觀眾的情緒和理智也納入創作過程之中，使觀眾也不得不通過作者在創造形象時所經歷過的同一條創作道路。觀眾不僅看到組成作品的各個畫面因素，而且也要跟作者體驗形象時一樣，來體驗形象的產生和建立的動力學過程。而這，很顯然，就是在最大限度上接近於可見地、最充分地傳達出作者的感覺與意圖，也就是要以「形體的可感覺性的力量」來傳達出浮現在作者的創作探索和創作視像中的那個形象。

　　寫到這裏不禁使我想起馬克思對於探求真理的途徑所作的規定：

　　　不僅探討的結果應當是合乎真理的，而且引向結果的途徑也
　　　應當是合乎真理的。真理探討本身應當是合乎真理的。合乎
　　　真理的探討就是擴展了的真理，這種真理的各個分散環節最
　　　終都相互結合在一起。

　　這個方法的力量還在於觀眾被引入這樣的創作行動時，他的個性不僅不會受制於作者的個性，而且在跟作者的思想互相融合的過程中，它將徹底展示出來，就像偉大的演員的個性跟偉大的劇作家的個性在創造古典的舞臺形象時融合無間一樣。事實上，每一個觀眾也的確是各人根據自己的個性，按照自己的方式，依靠自己的生活經驗，自己的幻想源泉，自己的聯想途徑，各以自己的性格、習慣、社會屬

性為前提，依據作者所給他指出的、一直地引導他去認識主題和體驗主題的那些明確的畫面，去創造出形象來的。這個形象正是作者所構思所創造的形象，但它同時也是由觀眾自己的創作行動創造出來的。

（選自〔蘇〕愛森斯坦，志剛譯，國鎮校《蒙太奇在 1938》，《電影藝術譯叢》第 1 輯，中國電影出版社 1962 年版）

編選説明 ● ● ●

　　謝爾蓋‧米哈依洛維奇‧愛森斯坦（1898-1948），蘇聯著名電影藝術家和電影理論家，俄羅斯聯邦共和國功勳藝術家。拍攝的影片《戰艦波將金號》曾引起世界轟動，被認為是世界電影史上最傑出的影片之一。愛森斯坦的電影理論，在影片的總體結構、蒙太奇、聲畫框架、單鏡頭畫面的結構、色彩以及電影史等領域，都進行了多方面的開創性的研究。此外，他關於藝術激情的本質、藝術方法、接受心理學等方面的著作，也在他的理論遺產中佔據特殊重要的地位。愛森斯坦對蒙太奇理論作出了重要貢獻，他寫的《電影藝術四講》在國際上享有盛譽，是蒙太奇理論的奠基人和實踐者，享有「現代電影之父」的美譽。《蒙太奇在 1938》一文是愛森斯坦有關蒙太奇的四篇研究論文中的第一篇，最初發表於 1936 年第 1 期蘇聯《電影藝術》雜誌。

雷內・克雷爾

好萊塢今昔

......

如果我們想把所有有關好萊塢的書都收集起來，那就需要有一座很大的圖書館。然而，住在裝飾相當華美的籠子（這是製片廠專為作家們準備的地方）裏的人，卻還很少有誰曾經想把這個電影的朝聖地的真實面貌描繪出來。沒有比這更難的工作了。在夢城好萊塢（它的形象曾在無數雜誌中經過美化並廣為傳播）和魔城好萊塢（它是許多諷刺小說與百老匯笑劇的題材）之間，真相忽隱忽現，就像放映機的光束那樣閃爍不定。

關於好萊塢的一切傳聞，甚至包括那些最誇張的東西，都是真有其事或者可能發生的。但是，專靠這些奇聞軼事來瞭解好萊塢，就好比只靠瑪麗烏斯和奧利弗的笑話來瞭解普羅望斯省的巴黎人一樣，那是不行的。無知而專橫的製片人，目空一切而反覆無常的明星——這是一些其名字盡可變換，但是其性格卻自羅伯特・弗勞萊乘了七天火車第一次踏上洛杉磯的那天以來始終沒有變過的人物。今天已有所變化的是電影賭博的規則，但是公眾並不十分瞭解這個根本性變化，他們更熟悉的倒是掩蓋了這個變化的種種奇聞軼事。

這塊荒地一經發現之後，立即開始了企業組織時期。那些穿著靴子的開拓者就此讓位於戴眼鏡的金融資本家。過去的好萊塢宛如電影

世界的「跳蚤市場」，那裏充滿了出人意料的東西，充滿了可笑與可愛的東西，而如今的好萊塢卻變成了一家地板精光　亮的大百貨公司，在那裏，每年出售著成批製造的商品。

今天，電影機器已調整得很好了。無疑是太好了。為了讓這架機器能長期處在良好的運轉狀態，它應當時時出些小毛病（這話似乎很莫名其妙吧）。但是，請不要把這種信口開河的意見過於當真吧，因為我們已進入一個不應當和機器開玩笑的時代了。

對於那些把好萊塢想成是人們可以在那裏拍出具有個人特徵的作品的神秘之地的歐洲青年來說，對於那些依然把電影看成是一項和詩或音樂並列的藝術的人來說，對於那些認為近 20 年來沒有出現新的格裏菲斯、卓別林只是偶然現象的天真漢來說，曾經在近 25 年中導演過一些美國影片的弗勞萊是可以給他們提供一些足以破除他們這種幻想的東西的。

在加利福尼亞每年生產的四五百部影片中，有多少是帶著個人風格特徵的呢？有多少像是出於一個藝術家或一個具有獨創性的藝匠之手的呢？人們只是出於迷信才念念不忘美國影片的導演或編劇的名字。其實，除了極少數的例外，他們的簽字並不比銀行支票上的簽字更有價值——名字盡可以改變，但票面價值是絲毫不會因此有所變更的。是啊，儘管片頭字幕搞得很花哨，樂隊大吹大擂，但是我們讀到的名字常常只是一個異常強大、非個人性質的組織的若干雇員而已。

始終喜歡作品具有個人特色的歐洲人也許會對這種情況感到驚訝；但是，這種情況並不排斥一些有品質的美國影片偶而出現在銀幕上，如果人們想請弗勞萊解釋這種現象，那麼，我想他會回答說，這

正如在法國，我們有時也能從一些葡萄種植合作社的雜牌酒裏嘗到某些佳釀啊。正因為我非常瞭解他，因此，我毫不懷疑他是想把更多的精力放在他自己的葡萄園上的。但是他還太老實、太習慣於加利福尼亞合作社的章程了，以致對合作社的刻板規定竟毫無反感，他至多只是感到那些規定很可笑，而我相信受他啟發的讀者也會有同感。

　　當我在這個什麼莫名其妙的怪事都會發生的時代裏，完全出於偶然而來到了美國的加利福尼亞時，弗勞萊見我一到就堅持要以他自己的那種與眾不同的方式帶我去參觀一些地方。他並沒有帶我去看那些跟紐約的銀行一樣堅固與潔白、跟底特律的工廠一樣巨大而有組織的現代化攝影棚。他並沒有帶我去看那些名流、紅星、私人游泳池，也沒有帶我去看那些按照客人的周薪額來排座次的夜總會。不，他把車子開得飛快，就像皮埃弗爾山谷中奧林比河的急流似的七繞八拐地把我帶到了當年好萊塢的舊址———只剩下少數廠棚的一片空場。今日的好萊塢就像一個發跡的妓女不願重提高尚然而貧困的少女時代一樣，再不想記得這些陳跡了。你也許會笑我這位老朋友幹嗎要念念不忘這些舊木板、這些無需美工師的加工就能再現舊時光的人工馬路。但是，我倒跟他一樣，完全不想恥笑這些蛀洞累累的布景———它們在當年曾再現過已消逝的時代，而今天卻像是對過去時代的一種嘲諷。這個只留下幾根骸骨的幻象世界是否會在我們的記憶中跟現實世界（我們相信它存在，但它只是在我們記憶中留下了幾個就像是放映在銀幕上的那種畫面）混淆起來呢？

　　對於今天的青年來說，電影似乎不再像它在第一次世界大戰後的年代裏那樣含有魔術的性質。對電影的全盛時代有所瞭解的人如今感

到電影似乎已失去它的勇於冒險與愛好探求的兩個發展階段，因為隨
著時間的推移，它已有了變化，就像我們自己也已有了變化一樣。當
時電影比較年輕，而毋庸諱言的是我們那時年紀也不大。

　　不久以後，今天的電影無疑會像我們現在看麥克‧塞納特的出浴
美人一樣，令人感到古怪。我們的影片將來也會雖老而魅力猶存嗎？
很可能，但我現在不敢說得很肯定。每個人都有他的過去。每一代人
都只有幾年的時光可供他們留待追憶自己的青春形象。

　　對於我這樣一個深深喜愛 1919 年到 1925 年之間的電影的人來
說，弗勞萊這本書中最精彩的地方正是他談到這一階段的那幾章。那
是電影的青年時代，當時新大陸的電影每天都對這個新天地有所發
現，弗勞萊如今把這個時代的精神用文字記載了下來，使我深感欣
慰。

（選自〔法〕雷內‧克雷爾，邵牧君、何振淦譯《電影隨想錄》，中
國電影出版社 1962 年版）

編選說明 ● ● ●

　　雷內‧克雷爾（René Clair，1898-1981），法國著名電影導演。
《電影隨想錄》是克雷爾的一部電影筆記，書中大量引錄了他在 20
世紀 20 年代熱衷法國電影先鋒派運動時所寫的文章，自言「發表這
些文章，目的是想重新提出電影在其發展的這一重要階段中所引起的
某些問題，因為這些問題並沒有由於電影的繼續發展而失去意義」。

這部著作喚起了 20 世紀 20 年代法國電影的真正精神和情感，它向人們表明了當時青年電影工作者尋求「電影感」的迫切需要。本篇原為 1944 年為最早將法國電影先鋒派運動引向好萊塢的導演羅伯特 · 弗勞萊所著《好萊塢今昔》一書所寫的序言。

E‧吉甘

電影藝術是怎樣發展起來的

　　我們現在來看一看，電影藝術是怎樣發展起來的，其中最主要的和最有決定意義的東西是什麼。

　　在電影誕生的時期，大家知道，它只是一種技術的現象——它的特點主要是能用照相方法記錄各種運動著的對象，能夠出奇地符合真實的生活。稍後，電影從新聞片發展到拍攝藝術片，這時就顯示出這一新型藝術的特殊性能——能夠廣泛反映可見世界，能夠直接在銀幕上表達任何一種生活和自然現象，任何劇情環境——海洋，各種各樣的風景，城市中和街道上的生活等等。

　　電影可以在一剎那間把劇情從一個地點搬到另一個地點，自如地運用時間和空間。無聲電影還找到了由於沒有語言和聲音而形成的獨特的表現手段。造型的無言的動作獲得了充分的發展，通過這種無言的動作來構成影片劇作、影片情節。廣泛運用的造型動作的表現力形成了一種獨特的默劇表現的詩意和電影語言的特點。

　　儘管當時的電影是無聲的，但電影的現實主義的本性在優秀的藝術片中越來越確定不移了。在這些影片中，故事發生的地點、環境、氣氛和其它演出藝術比較起來達到了最大限度的可信性，這不僅決定於作者的風格，而且主要的還是由於電影的那種照相式的逼真。

　　最後，有聲電影誕生了。它使電影藝術有了新的、具有巨大意義

的、本質的發展。語言、音樂、音響進入了銀幕，消滅了過去使電影動作十分受到局限和束縛的違反自然的沉默。音響世界一切豐富的現象都能夠在銀幕上反映出來了，成為藝術地、形象地感染觀眾的一種新的強有力的手段。電影藝術的這一新的特質也大大地豐富了它的現實主義的可能性：電影場景的逼真變得更加令人信服——人在銀幕上說話了，大海咆哮起來。火車發出隆隆的聲音，一切可見的東西在銀幕上都發出了完全合乎自然的聲音。音樂則大大地加強了電影作品的情緒感染力。

很快地在銀幕上又出現了彩色。它以顏色和色調豐富了電影藝術的表現手段，使得對可見世界的反映更加接近生活，更加現實主義。

最後，到最近又出現了寬銀幕。它的巨大意義在於它具有一系列特點，而首先在於，它遠遠比舊式銀幕更加符合於人的視覺的自然感受。寬銀幕幾乎完全符合於人眼的視角。觀眾所看見的不是一個由銀幕的清楚的四邊框住的「圖畫」，而彷彿是「一面生活之窗」。觀眾所看見的寬銀幕上所發生的一切具有這樣廣闊的空間範圍，它幾乎完全符合於人的實際的感受，無異於觀眾自己成為所表現的事件的目擊者。

單是寬銀幕的這一個特性——使銀幕上所發生的事件最大限度地接近生活真實性、可信性——就大大地加強了電影藝術的現實主義性質——電影場景的假定性縮小到最低限度，從而使電影達到了更高的階段。

根據以上所說的一切，可以十分明顯地必然得出一條確定不移的結論：電影藝術發展的整個道路就是越來越擴大和越來越確定在它的

本性中所包含的現實主義的基礎（當然，仍如前面所說的，這是指一種藝術的假定性的程度而言）。

　　值得注意的是，企圖創造以假定性為基礎的、以明顯風格化手法為基礎的電影作品的嘗試，都遭到了失敗。還在默片時期，在出現了一些印象派的頹廢影片，如《加裏加博亡》（在這部影片中，劇情是在某種變形了的、違反自然的多棱角的、假定性的虛假環境中展開的）之類以後，這一點就已經十分明顯了。另外，最近幾年來，在很多資本主義國家出現了時髦的流派——抽象主義，它實際上是反映著資產階級藝術和文化墮落與腐化的過程，反映了逃避現實轉入病態的、醜化的、沒有任何內容的、沉湎於主觀幻想的世界的心理，但這種潮流卻未能侵入到電影藝術之中，這也不是偶然的。這種情況的原因非常明顯——電影不能容忍任何假定性，不能容許違反現實主義本性的東西。

　　根據上面所說的各點，我認為，在研究電影藝術特點的問題時，首先應當指出主要的一點：

　　電影藝術的假定性的程度是最低限度的，它的本性中就包含著現實主義的性質。

　　（選自〔蘇〕E・吉甘《論電影藝術的特點》，載《中國電影》1958年版）

編選說明 ● ● ●

　　E · 吉甘（1898-1981），蘇聯電影導演。《論電影藝術的特點》一文為《中國電影》雜誌而作，認為電影有三個特點：電影藝術的現實主義本性、電影的蒙太奇和電影的綜合性。本篇節選其一，談的是電影藝術的發展及其中所包含的現實主義基礎和本性。E · 吉甘的觀點，對中國電影藝術理論界頗有影響。

布勒松
決定性的瞬間

　　一幅照片，要把題材儘量強烈地傳達出來的話，非要嚴格地建立起形式之間的關係不可。攝影隱含有辨識功能，就是把真實事物世界的節奏辨識出來。眼睛的工作，就是在大堆現實事物當中，找出特定的主體，聚焦其上。照相機的工作，只不過是把眼睛所作的決定記錄在膠捲上而已。對待攝影作品時，正如對繪畫作品一樣，我們是當作整體來觀看和感受的，而這整體只需一瞥便可把握。在攝影作品中，構圖實即眼睛所見的不同元素的同時組合和有機組織的結果。由於內容和形式是不可能分割的，因此，構圖不是可以事後補上的，不是可以補貼在基本素材之上的事後設想。換言之，構圖必須具有必然性。

　　攝影具有新的可塑性，就是主體運動時瞬間出現的線條所形成的。我們配合著運動而進行拍攝，彷彿運動本身就是生命展露自己的預兆方式似的。但是，在運動裏面，會有特別的時刻，當這一刻出現時，動態進行中的各項因素，都處於平衡狀態。攝影的任務，就是抓緊這樣的時刻，把它裏面的平衡狀態拿穩，凝結動態的進行。

　　攝影家的眼睛，永遠都在評估眼前事物。他只需移動一毫米的幾分之一，便可以把線條吻合起來。他只需稍為屈膝，便可以將透視改變。把照相機放置在距離主體或近或遠些，他便可以刻畫出某一細節——這細節，既可能相得益彰，也可能喧賓奪主。但是，對照片進

行構圖所需的時間，幾乎是跟按快門的時間一樣短，因為兩者同是條件反射而已。

　　有時，你得拖延一會兒，以等待適當的時機出現。你有時會感到眼前的景物萬事俱備，幾乎可以拍成好照片了，只是還欠一點什麼。欠的究竟是什麼呢？也許，有人突然走入你的視線範圍。你透過取景器，追蹤他行進。你等著等著，然後終於按下快門鈕──你抱著大功告成的感覺（雖然你不知道為什麼），滿意地離去了。之後，為了落實這種感受，你可以把影像印成照片，細心分析照片中的幾何圖形。如果快門鈕是在決定性的一刻按下的話，你會觀察到，原來你已經本能地將某一幾何模式捕捉下來了。要是沒有了這幾何模式，照片便會散漫無方，了無生氣。

（選自伍小儀、鄧福全編《寫實攝影大師亨利‧卡蒂埃-布勒松》，攝影畫報有限公司 1986 年版）

編選説明 ● ● ●

　　亨利‧卡蒂埃－布勒松（Henri Cartier Bresson，1908-2004），法國攝影家。1952 年出版攝影集《決定性瞬間》。在此書中，他提出了著名的「決定性瞬間」一語。布勒松不僅以自己豐富的攝影作品，為 20 世紀中期的攝影提供了一座精品寶庫，更重要的是他開創並成功實踐了「決定性瞬間」的攝影理念。他關於「決定性瞬間」的精闢觀點，「啟發了全世界幾代攝影者，給他們帶來新的觀點、新的品味」，

「是一本在攝影史上也許是最有影響、最重要的著作」（英國著名學者盧賽爾・米勒語）。

特呂弗

懸念的藝術

　　懸念，這首先是一部影片的故事素材的戲劇化，或者說以最緊扣心弦的形式表現戲劇性情境。

　　在一般情況下，懸念的場面總是一部影片的精華，它最吸引觀眾。可是，當你觀看希區柯克的影片時，便可知道，他總是試圖這樣地構成影片，即每個場面都是影片的精華，正如他本人所說的都是「毫無瑕疵的」。

　　像這樣千方百計要吸引觀眾注意力的意願，或如他本人所說的先是製造激情，然後保持激情，以便達到緊張的極點，無疑使他的影片明顯地與眾不同，且無可模仿。這是因為希區柯克所注重的，不僅有劇情的高潮性場面，而且有呈示性場面、過渡性場面以及所有一般的說是不引人注目的場面。

　　在希區柯克的影片中，兩個懸念的場面決不會被一個普通的場面串聯起來的，因為他會賦予普通的場面以驚栗效果。這位懸念大師同時也是反常意念的大師（Le Maitre de I』anormal）。舉個例子說，有個人為打官的事所煩惱——當然我們知道他是無辜的——於是去找一個律師，把自己的案子告訴後者。這是一個很平常的情境。但在希區柯克處理之下，這位律師一開始就疑慮重重，不敢接受案子，就像《冤狂的人》裏那樣，他始終不同意為一件案子辯護，直到最後他才

向自己的委託人承認他不熟悉法律業務，而且還不能肯定自己有無能力來辯護，……

對於希區柯克來說，他的影片裏發生的一切無非是要阻止平庸的東西出現在銀幕上。所以，即使一些家庭生活場面也都是色彩強烈，內含衝突，或劍拔弩張，或柔情蜜意。

製造懸念的藝術，同時也是讓觀眾「身歷其境」的藝術，藉以使觀眾參與影片的劇情。這樣，拍一部影片就不再是兩者（導演+他的影片）玩的遊戲，而是三者（導演+他的影片+觀眾）玩的遊戲了。像《小普賽》裏的白色石子、《小紅帽》裏的散步等懸念都已成為詩意手法，因為其用意在於使觀眾更加激動，心怦怦跳得更厲害。指責希區柯剋製造懸念效果，那等於連他是世界上最不令人厭倦的電影家也橫加指責，這好比是指責一個隻給對方快樂而不考慮自己的情人。只要是希區柯克拍的懸念片，就足以把觀眾的注意力完全集中在銀幕上，以至阿拉伯觀眾忘記了剝花生米吃，意大利觀眾忘記了吸香煙，法國觀眾忘記了跟鄰座的人搭訕，瑞典觀眾忘記了在兩排坐椅中間做愛，希臘觀眾……即使是希區柯克的誹謗者也都同意授予他世界第一號電影技師的稱號，不過他們是否知道劇本的選擇、劇作結構和故事內容都跟電影技術密切有關並且非依賴它不可呢？當前批評界的傾向是把形式與內容割裂開來，對此藝術家們都持不滿的態度。而希區柯克所運用的懸念方法則使這場爭論一下子平息下來了。

（選自〔法〕弗朗索瓦‧特呂弗，嚴敏譯《希區柯克論電影》，上海文藝出版社 1988 年版）

編選說明 ● ● ●

　　弗朗索瓦·特呂弗（Francois Truffaut，1932-1984），法國著名導演、影評家，法國「新浪潮」電影的創始人。阿爾弗萊德·希區柯克（Sir Alfred Hitchcock，1899－1980），原籍英國，聞名世界的電影導演，尤其擅長於拍攝驚悚懸疑片。《希區柯克論電影》是特呂弗根據20世紀60年代中期採訪希區柯克的記錄，以對話形式編寫成書，於1966年出版。希區柯克創造並完善了製造懸念的藝術，藉此使銀幕下的觀眾「身臨其境」，參與到劇情中去。他所控制的不僅是影片，還有觀眾的注意力，他也因此成為始終把觀眾放在第一位的娛樂片高手。希區柯克對人類本性與心理狀態的深刻理解和高超凝練的視覺化銀幕表達，又使他的影片昇華為獨一無二、不可傚仿的藝術經典。

塔可夫斯基

烙印時光

　　每一種藝術形式都是根據自己的準則誕生和存在。當人們談到電影的具體準則時常常與文學混為一談。依我看來，電影和文學的互動，應該儘量地被探討和呈現，這是非常重要的，如此一來兩者終究才能被分開，不再被混淆。文學和電影究竟為何相似、相關？他們的聯結是什麼？

　　最重要的是這兩個領域的創作者都享有的獨特自由，便是從真實生活中隨心取其所欲，並將之依序排列。這樣的定義似乎顯得太廣泛、太籠統；但是對我而言，它卻涵蓋了電影和文學的所有共同點，除此之外便是不容妥協的差異，源自於文字和銀幕影像的基本懸殊。因為文學使用文字來描述世界，而電影卻不需要借用文字：它直截了當地呈現自己。

　　這些年來尚未出現有關電影具體特性的統一定義。現存的蕪雜觀點中，或者相互衝突，或者更為糟糕地，以折中為含混的方式彼此的重疊。每一個藝術家在電影中都會以自己的方法去發現、提出並設法解決問題。不管怎麼樣，一個人若要完全知道自己在做什麼，就必須要有一套清楚的法則，因為一個人不瞭解自己的藝術形式準則便無法工作。

　　電影的決定性要素有哪些？他們產生了什麼效果？它具有什麼潛

能、方法和影像——不只是形式上，而且在精神上？此外導演所使用的素材又是什麼？

　　我至今仍無法忘懷出現於上個世紀的那部天才之作、揭開電影序幕的影片——《火車進站》，這部由奧古斯特·盧米埃爾所創作的影片，純粹是攝影機、膠捲以及放映機發明的產物。這部經典之作只有半分鐘長，呈現一節月臺，沐浴在陽光中，淑女士紳來回走動，火車從畫面的深處直接駛向攝影機，隨著火車的靠近，戲院開始騷動不安：觀眾紛紛躍起、四散奔逃，那正是電影誕生的時刻，它不只是技術問題，也不只是一種再現世界的新方法，而一種全新的美學原則於焉誕生。

　　因為在藝術史和文化史中，人類首度發現留取時間印象的方法。同時，也可以隨心所欲地在銀幕上複製那段時間，並且一次又一次地重複它。人類得到了真實時間的鑄型，時間一旦被發現、記錄下來，便可被長期（理論上來說，永遠）保存在金屬盒中。

　　那便是盧米埃爾首度在電影中播下新的美學法則種子的意義所在。然而，不久電影即開始偏離藝術，走向一條從實用主義者的興趣和利益觀點看來較為安全的道路。此後二十年幾乎全世界的文學都被搬上銀幕，還有大量的舞臺劇情節。電影的拍攝是為了記錄戲劇表演那種便捷、誘人的目的。從此電影步上錯誤之途；而且由不得我們不承認，此一不幸的後果至今仍然存在。我認為其所造成的最大惡果不在於將電影矮化為圖解；更糟的是，它使得我們無法藝術性地運用電影珍貴的潛能——即把時間烙印在賽璐珞上的可能性。

　　電影是以何種形式來印製時間？讓我們將它界定為事實。然而，

事實可以由一件事情，一個人的移動，或是任何具體對象所構成；這對象可以進而以不動、不彎的形態出現，只要那固定不動的長度存在於真實時間的範圍之內。

那才是我們應該探求的電影特質的根源。當然，在音樂裏時間也是問題的核心，然而它們的解決之道卻大不相同；音樂的生命力體現於其自身完全消失之際，但是電影的長處卻在於它擁有時間，並由時間以及與其牢不可分、而且時時刻刻環繞著我們的物質世界共同完成。

時間，複印於它的真實形式和宣言中：此乃電影作為藝術的卓越理念，引導我們思考電影中尚未被開採的豐富資源，以及其遠大的前景。我的實際工作和理論假設都是建立於此一理念之上。

人們為什麼去看電影？什麼理由使他們走進一間暗室，花一兩個小時去看電影在布幕上行動作戲？是為了娛樂？還是為了某種麻醉劑？世界上的確到處充斥著娛樂片，以及拓展電影、電視，以及其它各種視像的機構。然而，我們的出發點卻不在於此，而是在於電影的基本原則，關乎人類駕馭及瞭解世界的需求。我認為一般人看電影是為了時間：為了已經流逝、消耗，或者尚未擁有的時間。他去看電影是為了獲得人生經驗；沒有任何藝術像電影這般拓展、強化並且凝聚一個人的經驗──不只強化它而且延伸它，極具意義地加以延伸。這就是電影的力道所在，與「明星」、故事情節以及娛樂都毫不相干。

導演工作的本質是什麼？我們可以將它定義為雕刻時光。如同一位雕刻家面對一塊大理石，內心中成品的形象栩栩如生，他一片片地鑿除不屬於它的部分──電影創作者，也正是如此：從龐大、堅實的

生活事件所組成的「大塊時光」中，將他不需要的部分切除、拋棄，只留下成品的組成元素，確保影像完整性之元素。

（選自〔蘇〕安德列・塔可夫斯基，陳麗貴、李泳泉譯《雕刻時光》，

人民文學出版社 2008 年版）

編選說明 ●●●

　　安德列・塔可夫斯基（Andrei Tarkovsky，1932-1986），伯格曼眼中「當代最重要的導演」，世界公認的電影大師，終其一生完成了 2 部短片和 7 部長片，部部堪稱經典。他創造了嶄新的電影語言，以緩慢的節奏、凝重的圖像，使人們的眼睛和圖像之間建立了全新的樸素關係，被稱為「電影界的貝多芬」。他擁有深沉的信仰，認為自己的一生就是在時光中雕刻。他以「雕刻時光」為名的著作，是其電影筆記、演說稿以及對談等文字整理後的結集。本書詳細闡釋塔氏銀幕外的思考，記錄了自己的思想、回憶，首度披露其重要作品的創作靈感、發展脈絡、工作方法以及濃烈的自傳內涵，並深入探究影像創作中的種種問題。

後記 ●●●

　　在人類文明的歷史長河中，從世界到中國，從遠古到現今，一批批先賢哲人為我們留下了難以計數的經典著作，這些作品極大地推動

了社會的進步，豐富了人們的精神文化生活，是人類文明的瑰寶。

　　中共江西省委宣傳部組織專家按政治、經濟、哲學、法學、文學、歷史、藝術、科技八個門類，從古今中外的經典著作中精選了一批有代表性的作品，分別編輯成冊，供廣大幹部學習借鑒。我們相信，廣大讀者一定可以通過閱讀這套書，獲取知識，獲取智慧，獲取力量。

　　在選編過程中，借鑒選用了國內一些出版社公開出版的經典著作中的篇章，藉此機會，特向這些著作的著者、整理者、譯者和出版者表示誠摯的謝意。同時歡迎相關著者、譯者見到本書後與我們聯繫，我們將按有關標準及時奉寄稿酬。由於時間緊，加之水準有限，遺珠之處在所難免，請廣大讀者批評指正。

江西人民出版社

2011 年 11 月

昌明文庫．悅讀經典 A0601007

一生必讀的中外經典名著．藝術卷

選 編	葉青等	
責任編輯	蔡雅如	
發 行 人	陳滿銘	
總 經 理	梁錦興	
總 編 輯	陳滿銘	
副總編輯	張晏瑞	
編 輯 所	萬卷樓圖書股份有限公司	
排 版	菩薩蠻數位文化有限公司	
印 刷	百通科技股份有限公司	
封面設計	菩薩蠻數位文化有限公司	

出 版 昌明文化有限公司

桃園市龜山區中原街 32 號

電話 (02)23216565

發 行 萬卷樓圖書股份有限公司

臺北市羅斯福路二段 41 號 6 樓之 3

電話 (02)23216565

傳真 (02)23218698

電郵 SERVICE@WANJUAN.COM.TW

大陸經銷

廈門外圖臺灣書店有限公司

電郵 JKB188@188.COM

ISBN 978-986-496-032-3

2017 年 7 月初版

定價：新臺幣 400 元

如何購買本書：

1. 劃撥購書，請透過以下郵政劃撥帳號：

　　帳號：15624015

　　戶名：萬卷樓圖書股份有限公司

2. 轉帳購書，請透過以下帳戶

　　合作金庫銀行 古亭分行

　　戶名：萬卷樓圖書股份有限公司

　　帳號：0877717092596

3. 網路購書，請透過萬卷樓網站

　　網址 WWW.WANJUAN.COM.TW

大量購書，請直接聯繫我們，將有專人為您

服務。客服：(02)23216565 分機 10

如有缺頁、破損或裝訂錯誤，請寄回更換

國家圖書館出版品預行編目資料

一生必讀的中外經典名著. 藝術卷 / 葉青等
選編.-- 初版.-- 桃園市：昌明文化出版；臺
北市：萬卷樓發行, 2017.07
　面； 公分.-- (昌明文庫. 悅讀經典；
A0601007)　　ISBN 978-986-496-032-3(平裝)
1.推薦書目
012.4　　　　　　　　　　　　　106011516

本著作物經廈門墨客知識產權代理有限公司代理，由江西人民出版社有限責任公司授權萬卷樓圖書股份有限公司出版、發行中文繁體字版版權。